collines, les nuages

n même coup, les

u seul jet dans le bleu

ont la colline et le paysage

ent avec lenteur. D'autres

erma. Et la colline redevenait

luis à ~~nouveau~~ nouveau

d'autres collines ~~qui~~ de

e but qui ouvrait les

fermait la bas. Dans

onde, le même souffle

emaços de distance et

rême du prière et d'air

nonde. A chaque fois

! à la suivre un peu plus

us. Et partout au terme

au cœur, j'embarras

CAMUS

Collection
Génies et Réalités

CAMUS

HACHETTE

*Les auteurs
ayant collaboré à cet ouvrage sont :*

PIERRE-HENRI SIMON
de l'Académie française

RENÉ-MARILL ALBÉRÈS

PIERRE DE BOISDEFFRE

JEAN DANIEL

PIERRE GASCAR

MORVAN LEBESQUE

ANDRÉ PARINAUD

EMMANUEL ROBLÈS

JULES ROY

Albert Camus en juin 1957

CHAPITRE I

La vie
d'un écrivain
engagé

PAR ANDRÉ PARINAUD

« Je n'ai pas appris la liberté dans Marx... Je l'ai apprise dans la misère. » Albert Camus résumait ainsi le premier engagement de sa vie. Cette misère, le petit garçon qui naquit le 7 novembre 1913 à Mondovi, dans le département de Constantine, devait en subir, très vite en effet, les vagues cruelles. Catherine Sintès, sa mère, d'origine espagnole, était servante, Lucien Camus, son père, petit-fils d'Alsacien, ouvrier agricole. Le couple a déjà un enfant d'un an. Dix mois plus tard, Lucien est tué sur la Marne, et l'éclat d'obus trouvé dans sa chair, qui l'a fait agoniser pendant une semaine après l'avoir rendu aveugle, sera envoyé à la veuve et aux orphelins. «J'ai grandi, écrira Camus dans l'*Été,* avec tous les hommes de mon âge, aux tambours de la première guerre, et notre histoire depuis n'a cessé d'être meurtre, injustice et violence. »

Catherine Camus et ses deux enfants quittent Mondovi pour Alger. Les ménages et une pension leur permettent de vivre pauvrement dans un « deux-pièces », près d'une grand-mère et d'un oncle infirme, artisan tonnelier. « Ce quartier, cette maison ! Il n'y avait qu'un étage, et les escaliers n'étaient pas éclairés... Les soirs d'été, les ouvriers se mettent au balcon... Chez lui, il n'y avait qu'une toute petite fenêtre. On descendait alors des chaises sur le devant de la maison et l'on goûtait le soir... Nuits d'été, mystères où crépitaient des étoiles ! »

Une des images clés de la personnalité poétique de celui qui deviendra l'écrivain Albert Camus, se trouve symboliquement déjà dans l'évocation de ce souvenir. « Il y avait derrière l'enfant un couloir puant et sa petite chaise, crevée, s'enfonçait un peu sous lui. Mais, les yeux levés, il buvait à même la nuit pure. » Sa misère « prolétaire » est en effet algérienne, c'est-à-dire tempérée par les quatre éléments de la nature épanouie : le soleil éclatant, la mer éblouissante, le ciel pur et l'humanité truculente et drue des gens de Belcourt et de Bab-el-Oued, où l'on épuise en dix ans l'expérience d'une vie d'homme (...) « on a sa morale, et bien particulière. On ne « manque » pas à sa mère. On fait respecter sa femme dans les rues. On a des égards pour la femme enceinte. On ne tombe pas à deux sur un adversaire parce que « ça fait vilain ». Pour qui n'observe pas ces commandements élémentaires, « il n'est pas un homme », et l'affaire est réglée...

La chimie de ce terreau de l'enfance n'aurait pas sa richesse exacte s'il ne s'y ajoutait la révélation de la bonté et de la connaissance. L'orphelin, soumis à la pauvreté, marqué par l'injustice et la guerre, élevé dans un pays de soleil, de fatalisme et de violence, devait achever sa prime jeunesse par la rencontre de l'homme bon : Louis Germain, l'instituteur qui sut persuader la mère de le présenter à l'examen des bourses du secondaire.

Albert Camus à dix ans est donc élève boursier au lycée d'Alger. Il vient de se glisser dans la faille étroite qui permet quelquefois dans notre monde moderne, à l'enfant doué d'un ouvrier, de trouver la chance d'échapper à sa condition par le savoir.

L'adolescence commence par des lectures. A Roger Quilliot, il citera parmi les livres marquants de sa jeunesse, *la Voie royale* qu'il a lu à dix-sept ans, *la Condition humaine*, puis *la Douleur* d'André de Richaud dont la lecture, en 1931, déterminera pour une part sa vocation littéraire ; Proust, *les Iles* de Jean Grenier. Sa vie un peu humiliée de boursier, dans un lycée bourgeois des années 25, est sans histoire. Le bon élève est aussi gardien de but du Racing universitaire d'Alger. L'adolescent un peu frêle découvre le sport, « la joie des victoires si merveilleuses lorsqu'elles s'allient à la fatigue qui suit l'effort ». Mais un soir, après un match, il prend froid. Il s'alite. Déchirure du poumon. Tuberculose. Son état exige des soins et il quitte la maison familiale. Après l'épreuve de la misère, la maladie. Et déjà Camus se révèle lucide, calme, fortifié par l'aiguillon de la souffrance. « Cette maladie, dira-t-il plus tard, sans doute ajoutait d'autres entraves, et les plus cures, à celles qui étaient déjà les miennes. Elle favorisait finalement cette liberté du cœur, cette légère distance à l'égard des intérêts humains qui m'a toujours préservé du ressentiment... »

C'est « un étudiant de qualité très rare », selon le mot de M. Jacques Heurgon, que Jean Grenier et Paul Mathieu eurent comme élève de khâgne au lycée d'Alger. Il va préparer jusqu'en 1936 un diplôme d'études supérieures sur les rapports de l'hellénisme et du christianisme à travers Plotin et saint Augustin. Le prêt d'honneur qui lui est consenti lui permet à peine de subvenir à ses besoins. Il travaille à l'Institut météorologique. Chaque année de cette période est marquée par un événement, en même temps que l'histoire des hommes s'accélère.

En 1933, Hitler accède au pouvoir. Albert Camus se marie. Il rompt ce lien, hâtivement établi, en 1934, tandis qu'il adhère au parti communiste. Puis Pierre Laval pactise avec Staline, les Soviets cessent de soutenir les revendications musulmanes et le parti communiste modifie sa « ligne ». Camus déchire sa carte. Il découvre *le Temps du mépris* de Malraux et *Service inutile* de Montherlant. En 1937, un examen médical lui interdit de se présenter à l'agrégation. Albert Camus a vingt-trois ans. Il est une sorte de prolétaire intellectuel mal portant, sans métier, qui a fait l'amère expérience de la misère, de l'injustice, de l'idéalisme et de l'amour.

Le 17 juillet 1936, la guerre civile éclate en Espagne. Pour le monde, c'est l'heure du choix. En France, c'est le succès du Front populaire, cependant qu'une délégation d'une commis-

La troupe de « Radio Alger »

sion de colons algériens déclare à M. C.A. Julien, à Matignon : « Nous ne tolérerons jamais que, dans la plus petite commune, il y ait un Arabe pour maire. » Albert Camus, lui, se jette corps et âme dans deux aventures qui lui permettent de s'accomplir et d'échapper à la terrible logique de sa condition : le théâtre et le journalisme.

Son physique de jeune premier le fait engager comme acteur dans la troupe théâtrale de Radio Alger. Il y joue les classiques

et surtout Molière, quinze jours par mois, dans les villages d'Algérie. Puis s'inspirant des idées de Copeau et de Dullin, Camus organise une troupe d'amateurs, « l'Équipe », dont la foi supplée l'inexpérience et qui prête vie au *Retour de l'enfant prodigue* de Gide, aux *Frères Karamazov*, à *la Célestine* de Rojas, au *Paquebot Tenacity* de Vildrac, à *l'Article 330* de Courteline, au *Baladin du monde occidental* de Synge, à *la Femme silencieuse* de Ben Jonson, au *Prométhée* d'Eschyle, au *Don Juan* de Pouchkine, au *Bas-fonds*, d'après Gorki. Comédien, le jeune homme est aussi metteur en scène et machiniste. Mais il se révèle en écrivant *Révolte aux Asturies*, — hommage aux morts d'Oviedo (1933) — sa première pièce, expression d'un travail collectif. Le titre, le style et le sujet mettent en évidence que l'imagination créatrice du jeune auteur est inséparable de l'engagement vital qu'Albert Camus a déjà pris et que sa carrière de journaliste, qui commence, rend très vite scandaleux — sinon dangereux. Le Gouvernement général d'Algérie interdit d'ailleurs toute représentation.
Il a renoncé définitivement à l'agrégation, et à la sécurité qu'offrait le professorat. Il refuse d'ailleurs « un poste » au collège de Sidi-Bel-Abbès et songe à écrire un essai sur Malraux. En 1937, il séjourne en Savoie, visite Florence, Gênes et Pise. Il lit Nietzsche, Spengler.
Le jeune homme qui revient à Alger en cette fin d'année 1938 est, comme l'écrit parfaitement son ami Morvan Lebesque, un « écrivain bâtard, produit du désordre de son temps... Un homme sans contrat ni métier ».
Pascal Pia lui propose de collaborer à *Alger républicain* qu'il vient de fonder, un journal « pas comme les autres », où il tiendra successivement toutes les rubriques, de l'éditorial aux faits divers. La chronique littéraire lui donnera même l'occasion, en septembre 1938, de fixer son jugement à propos de *la Nausée* de Sartre, dont il récuse le sens de la laideur. « Sans la beauté, écrit-il, l'amour ou le danger, il serait facile de vivre. » De même à propos du *Mur* de Sartre, il écrit : « Constater l'absurdité de la vie ne peut être une fin, mais seulement un commencement. »

Mais c'est comme reporter qu'il trouve l'occasion de s'engager dans la bataille pour la liberté, de trouver sa ligne de conduite. Dans l'affaire Hodent, il prend la défense d'un pauvre commis de ferme, injustement accusé. Il défend le cheik El Okby. Il stigmatise les effroyables conditions de transport des forçats en Guyane. Il enquête enfin sur la grande misère de la Kabylie. Comme Camus l'écrivait dans un éditorial : « Il n'est pas de spectacle plus désespérant que cette misère au milieu du plus beau pays du monde... Dans la région de Djemaâ-Saridj, les hommes (Arabes) sont payés huit à dix francs, et les femmes, cinq francs par jour. Autour de Michelet, le salaire agricole moyen est de cinq francs, plus la nourriture, pour dix heures de travail. Mais on retient directement sur cet argent, et sans prévenir les intéressés, l'arriéré des impôts. Ces retenues atteignent parfois la totalité du salaire... Neuf cent mille enfants indigènes se trouvent actuellement sans écoles. »

Albert Camus observe, expose, prouve que le colonialisme cherche à maintenir systématiquement la misérable condition musulmane qui fonde la prospérité économique de ses privilèges. « Il est méprisable de dire que ce peuple n'a pas les mêmes besoins que nous... Il est curieux de voir comment les qualités d'un peuple peuvent servir à justifier l'abaissement où on le tient et comment la sobriété proverbiale du paysan kabyle peut légitimer la faim qui le ronge. » Il intitule ses articles « La Grèce en haillons », « Un peuple qui vit d'herbes et de racines », « Des salaires insultants ».

La France a fait de l'Arabe un étranger dans sa patrie. Le ton de ses articles est unique dans la presse algérienne ; son courage comme sa pondération sont une provocation qui lui vaut l'hostilité de tous les gens en place. Mais Camus a trempé sa volonté et découvert la valeur d'un engagement qui exalte sa propre condition. Les textes de cette époque montrent qu'Albert Camus a parfaitement entrevu l'exemplaire fraternité des races — « par l'alliance dans le respect mutuel » — dont l'Algérie pourrait devenir le creuset et comment cette communauté pourrait influencer l'évolution même de l'Europe. Tout était encore

possible... Mais déjà rien ne l'était plus — excepté le pire —
car la guerre est aux portes de l'Histoire. Les Français d'Algérie
semblent ne se douter de rien, si ce n'est le petit groupe
d'intellectuels rassemblés autour du libraire-éditeur Charlot
qui anime la revue *Rivages* : Gabriel Audisio, René-Jean Clot,
Claude de Fréminville (un des camarades de lycée d'Albert
Camus), Jean Grenier, son professeur, Emmanuel Roblès,
Charles Poncet. Tous croient à l'aventure algérienne, à une
grande espérance sociale, au « droit pour tous à la vérité et à
la justice ».
Pour Albert Camus, l'amitié du groupe est aussi précieuse que
la qualité du message. Le jeune homme solitaire qui habite
« une chambre nue meublée seulement d'un long coffre qui lui
sert à la fois d'armoire à linge et de lit », trouve parmi ses amis
une chaleur humaine riche de pudeur virile. Après les batailles
que le jeune journaliste anime dans *Alger républicain,* puis en
1939 dans *le Soir républicain,* lorsque le quotidien du matin eut
été achevé par « les puissants » du jour, il aime rassembler ses
amis autour de lui, au cours de repas improvisés et pleins d'entrain. Albert Camus apparaît comme un camarade sans faille.
La « religion » de ce jeune homme de vingt-cinq ans, c'est la mer
et le soleil. « Grande mer, toujours labourée, toujours vierge,
ma religion avec la nuit ! » Et cet amour n'est pas platonique, il se
livre à lui avec volupté.
Une des valeurs de la pensée de Camus tient, sans aucun doute,
dans cette affirmation : « Il n'y a pas de honte à être heureux et
j'appelle imbécile celui qui a peur de jouir. » Pour lui tout son
royaume est de ce monde et il ne s'approchera jamais assez de
lui. Mais cet « excès de biens naturels » est desséchant, cette
exaltation de la liberté dans le présent sans cesse renouvelé,
cette « fête de la terre et de la beauté » débouche sur l'évidence
de la mort, « cette aventure horrible et sale ». Cette certitude
inscrite dans la splendeur de tous les étés, dans toutes les
joies, cette condamnation ne peut être acceptée sans révolte.
Dans tous les écrits de Camus, la mort et la révolte sont en fili-
grane. Ses souvenirs de Florence sont inséparables de la vision

des tombes ; et la tête de mort posée sur une table des Francis-
cains est l'image forte qu'il a emportée de Fiesole. Devant toutes
les pierres tombales qui sont comme les cosses de toute vie, il
affirme : « Je ne vois pas ce que l'inutilité ôte à ma révolte et je
sens bien ce qu'elle ajoute. » Cette réaction de l'âme même est
la ligne de force la plus profonde de la personnalité de Camus.

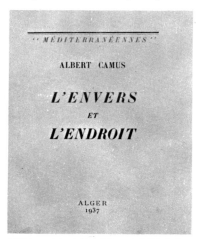

L'édition originale de « l'Envers et l'Endroit »

Le lieu natal, l'éclat de la nature, une hérédité castillane, la
misère, l'humiliation, l'injustice — ce complexe qui a créé
le climat où se sont épanouis
un cœur et un esprit, peut se
résumer dans cet « orgueil de
la condition d'homme » que
Camus accepte avec toutes ses
conséquences. Déjà l'essentiel
d'une pensée, d'une vocation,
d'un destin est fixé. La misère
même ne peut plus l'atteindre :
« La pauvreté n'a pas été un
malheur pour moi ; elle a toujours été équilibrée par les
richesses de la lumière... Il y a
une solitude dans la pauvreté,
mais une solitude qui rend son prix à chaque chose. » Chez
Charlot, il a publié *l'Envers et l'Endroit* et *Noces* où toutes les
données de son œuvre future sont clairement inscrites.
« Même mes révoltes ont été éclairées par la lumière. Elles furent
presque toujours... des révoltes pour tous, et pour que la vie
de tous soit élevée dans la lumière... La misère m'empêcha de
croire que tout est bien sous le soleil et dans l'histoire, le soleil
m'apprit que l'histoire n'est pas tout. Changer la vie, oui, mais
non le monde dont je faisais ma divinité. C'est ainsi, sans doute,
que j'abordai cette carrière inconfortable où je suis, m'enga-
geant avec innocence sur un fil d'équilibre où j'avance pénible-
ment sans être sûr d'atteindre le but. Autrement dit, je devins

un artiste, s'il est vrai qu'il n'est pas d'art sans refus ni sans consentement. »

Le 3 septembre 1939 éclate la seconde guerre mondiale. Par solidarité, Camus veut s'engager. Son état de santé le fait ajourner. L'hostilité larvée que lui manifeste le Gouvernement général se cristallise. On lui refuse tout emploi. Il est obligé de quitter l'Algérie. Pascal Pia l'engage à entrer à *Paris-Soir*. L'homme de vingt-sept ans qui attend un matin de printemps de 1940, nu parmi les Arabes, pour passer à «l'épouillage» avant l'embarquement, sur le quai d'Alger, serait sans aucun doute le premier étonné d'apprendre qu'un jour il recevrait le prix Nobel de littérature, mais ce dont il ne doute pas c'est qu'il va désormais tenter de mettre «en lumière les problèmes qui se posent de nos jours à la conscience des hommes». Le code de son action est fixé. Il sait que le désespoir de vivre, tribut que doit payer l'amant de la vie, impose de ne pas exister «à n'importe quel prix» et de «jurer de n'accomplir dans la moins noble des tâches que les plus nobles des gestes».

Albert Camus, passager pour cette «Europe humide et noire», a dans ses bagages les notes de *l'Étranger* et le manuscrit de *Caligula*. Curieusement, ce roman à peine ébauché va éclipser la pièce terminée et décider d'une carrière. Car pour certains de ses amis il n'y a pas de doute, c'est au théâtre qu'Albert Camus est voué, — est lié par un amour absolu. Il fera dire plus tard à un de ses héros que le stade et la scène sont «les seuls endroits du monde où je me sente innocent». L'expérience de l'Équipe l'a marqué d'un souvenir ineffaçable. Il se plaît à cette activité multiple d'homme de théâtre qui doit travailler de ses mains, payer de sa personne et donner le meilleur de soi-même dans l'invention. La mise en scène est sa grande tentation. La recherche du style d'une pièce est pour lui une vocation. Acteur, il aime la scène. Et si l'émigrant forcé, qui voit s'enfuir la côte du pays de ses noces avec le soleil, pouvait librement choisir un destin, peut-être songeant «au bonheur» que lui donne le théâtre dirait-il : chef de troupe.

En mars 1940, il arrive à Paris, ce «désert pour le cœur». Il est

accueilli à *Paris-Soir* par un rédacteur en chef qui lui déclare :
«Ici on ne fait pas de politique.» Et Camus, très calme, lui
répond : « Bien sûr. » En mai il a achevé *l'Étranger*. C'est l'exode.
Il rejoint Clermont-Ferrand, puis Lyon, et se remarie. Les
«typos» du journal se souviennent encore de l'événement!
Prix Nobel, Camus n'oubliera pas d'adresser un mot d'amitié
à ces témoins d'un moment heureux de sa vie. Cet accord avec
les humbles, cette «gentillesse» est non seulement un des
traits de son caractère mais un des éléments de sa philosophie
véritable, la preuve constante de son authenticité.
De septembre 1940 à février 1941, il écrit *le Mythe de Sisyphe*,
à Lyon d'abord, puis à Oran où il est pion quelques mois dans
un établissement privé. Il conçoit aussi le plan de *la Peste* après
avoir lu *Moby Dick*, «l'un des mythes les plus bouleversants
qu'on ait jamais imaginés sur le combat de l'homme contre le
mal et sur l'irrésistible logique qui finit par dresser l'homme
juste contre la création et le créateur d'abord, puis contre ses
semblables et contre lui-même». Cet engagement perpétuel,
cette volonté de réagir à toutes les sollicitations du réel qui
mettent en situation les valeurs de l'absurde, de l'injustice, du
néant — c'est à ce trait qu'on reconnaîtra désormais l'auteur
Albert Camus, inséparable d'ailleurs de l'homme. En juillet
1942, la N.R.F., sur le conseil de Malraux, publie *l'Étranger*,
dont le succès sera foudroyant. Albert Camus, lui, entre dans
le réseau de résistance *« Combat »* aux côtés de Pascal Pia et
Claude Bourdet. Le cycle de l'absurde s'achève sur l'action.
L'Étranger — qui le rendra célèbre mais qui commence par créer
la légende d'un Camus désespéré — est une œuvre dont l'engagement puise sa source dans la vie même de son auteur. On ne
le soulignera jamais assez. Cette étrange indifférence qui est
la ligne mélodique du livre est déjà, depuis toujours, le diapason
de l'existence de Camus : ce «silence» est celui de sa mère
murée dans sa solitude. « En certaines circonstances » écrira-t-il,
on lui posait une question : «A quoi tu penses ? — A rien,
répondait-elle.» Et c'est bien vrai. Tout est là, donc rien. Sa
vie, ses intérêts, ses enfants se bornent à être là, d'une pré-

sence trop naturelle pour être sentie... Elle ne pense à rien. Dehors, la lumière, les bruits ; ici le silence dans la nuit. » Et cette présence « absente », cette solitude profondément sentie que reflète *l'Étranger,* est comme l'équation de la vérité camusienne. « L'enfant grandira, apprendra... Sa mère toujours aura ces silences. Lui, croîtra en douleur. Être un homme c'est ce qui compte ! » L'antidote — ou si l'on préfère, la qualité exacte — de sa révolte, son dépassement est dans l'exemplaire mutisme de sa mère.

Le roman commence par la nouvelle de la mort de la mère : « Aujourd'hui maman est morte. Ou peut-être hier, je ne sais pas. J'ai reçu un télégramme de l'asile : « Mère décédée. Enterrement demain. Sentiments distingués. » Cela ne veut rien dire. C'était peut-être hier. » On pourrait croire soudain que le décès de la mère, comme dans les morts rituelles, a provoqué un transfert. L'auteur, à travers son héros, tente l'expérience de cette vie absurde, symbolisée par la mère. Il va aller au bout de son « indifférence ». Il est hors de notre propos de pousser l'analyse plus avant. Notre seule intention est de souligner que le premier roman d'Albert Camus ne doit pas être considéré comme une œuvre « abstraite » — une démonstration morale ou philosophique — mais peut parfaitement être comprise comme un fruit de sa vie et de sa pensée. Curieusement, enfin, ce roman « absurde » contient le fait divers qui sera le germe d'une autre œuvre : *le Malentendu,* que Camus créera au théâtre en 1944. La logique du désespoir que ces deux œuvres sous-entendent trouve en effet son démenti dans l'action même de Camus résistant et journaliste,[2] et d'abord dans ses *Lettres à un ami allemand* qu'il publia clandestinement en 1943 et 1944 « pour éclairer un peu le combat aveugle... et le rendre plus efficace ».

« Je continue à croire, écrit Camus, que ce monde n'a pas de sens supérieur... » Mais nous avions admis que « dans certains cas le choix était nécessaire » et qu'il fallait choisir « la justice... pour rester fidèles à la terre. » Avec une résolution qui jamais ne faiblira, Camus s'engage parce qu'il est « solidaire de ce monde

où les fleurs et le vent ne feront jamais pardonner le reste. »
Nous savons exactement comment cette décision a été prise,
le lendemain du 19 décembre 1941. «C'était un matin à Lyon,
et je lisais dans le journal l'exécution de Gabriel Péri.» Albert
Camus n'a pas la fibre nationaliste, ni l'âme guerrière, il sait

Gabriel Péri

seulement que « l'absurde est
réellement sans logique. C'est
pourquoi on ne peut en vivre »,
que le bien et le mal sont des
notions relatives, mais il va se
battre contre le mensonge,
pour des «nuances qui ont l'importance de l'homme même ».
Sur sa vie de journaliste clandestin, Camus a toujours été
très discret. « Le genre ancien combattant n'est pas le
mien », a-t-il écrit laconique-
ment. Sa santé, à cette époque,
l'oblige à séjourner dans le
Massif central. Puis le mouvement « Combat » le délègue à
Paris. Il devient lecteur aux

éditions Gallimard, et publie *le Mythe de Sisyphe* — qu'on a pu
considérer comme « une charte de l'humanisme athée », mais
qui apparaît, à ce moment de la vie d'Albert Camus, comme une
tentative de clarification de sa pensée[3], une prise de conscience
totale de l'absurde et de ses conséquences. L'absurde, c'est
« l'épaisseur et l'étrangeté du monde », c'est « le péché sans
Dieu. Il ne peut y avoir d'absurde hors d'un esprit humain.
Ainsi l'absurde finit-il comme toutes choses, avec la mort. Mais
il ne peut non plus y avoir d'absurde hors de ce monde. Et c'est
à ce critérium élémentaire que je juge que la notion d'absurde
est essentielle et qu'elle peut figurer la première de mes vérités ».
«A partir du moment où elle est reconnue, l'absurdité est une
passion, la plus déchirante de toutes.» Devant cette évidence,

Camus refuse «le saut», c'est-à-dire la promesse des religions, il récuse également l'attitude «vexée» qui conduit au suicide. Il répond au syllogisme de Kirilov qui affirme : «Si Dieu n'existe pas, Kirilov est Dieu, Kirilov doit donc se tuer pour être Dieu», par une évidence : «Vivre, c'est faire vivre l'absurde.» «Il s'agit de mourir irréconcilié et non pas de plein gré. Le suicide est une méconnaissance... J'exalte ma lucidité au milieu de ce qui la nie. J'exalte l'homme devant ce qui l'écrase et ma liberté, ma révolte et ma passion se rejoignent alors dans cette tension, cette clairvoyance et cette répétition démesurée.» De tous les « princes sans royaume » de l'univers absurde, l'être par excellence est le créateur qui « travaille pour rien » et donne constamment « des images éclatantes et sans raison du monde. Créer, c'est donner une forme à son destin. Dans cet effort quotidien où l'intelligence et la passion se mêlent et se transportent, l'homme absurde découvre une discipline qui fera l'essentiel de ses forces».

Sisyphe, condamné par les dieux pour avoir témoigné de trop d'amour sur la terre, roule éternellement son rocher. S'il accepte son destin, sa lucidité doit le conduire au bonheur.

Mais la tragédie est-elle compatible avec le bonheur? Cette perpétuelle conscience remise en question par les forces sans cesse contradictoires de l'univers, permet-elle de trouver l'équilibre d'une sagesse? Albert Camus a, en tout cas, répondu, au terme de sa quête, au problème sérieux qu'il s'était posé : le suicide naît-il de l'absurde? Pour le reste on peut s'amuser à appliquer à Camus philosophe le jugement qu'il portait sur saint Augustin : «Grec par besoin de cohérence, chrétien par les inquiétudes de sa sensibilité»; il est plus juste de dire qu'à l'heure de son écriture, le Mythe de Sisyphe est apparu comme «l'admirable conjonction d'une personne, d'un auteur et d'une œuvre».

Lorsque Albert Camus créa le Malentendu[4], en août 1944, au théâtre des Mathurins, la pièce était déjà écrite depuis l'hiver 1942-1943. Elle reçut un accueil d'estime. Dans sa prison, Meursault de l'Étranger avait découvert la coupure de journal racontant le fait divers qui devint le synopsis de l'œuvre. Sa réaction fut un peu celle des spectateurs : « D'un côté cette histoire était invraisemblable. D'un autre elle était naturelle. De toute façon, je trouvais que le voyageur l'avait un peu mérité et qu'il ne faut jamais jouer. » Ce théâtre de la lucidité pure apparut un peu désincarné, au point qu'on a pu écrire que « le Malentendu était la pièce des occasions manquées... Le sujet se prêtait aux mélodrames... aux rebondissements spectaculaires : Camus l'a ramené à «rien». L'action est finalement tout intérieur; scrupules naissants, pitié hésitante, inquiétude. » Après le Malentendu, Camus eut la preuve que les procédés romanesques qui étaient une des formules de son succès : le détachement des personnages, la domination des passions, l'extrême lucidité, créent un vide sur la scène et qu'une situation ne suffisait pas à conférer les dimensions du tragique. Le personnage le plus intéressant du Malentendu est sans doute la mère, qui a toutes les caractéristiques qui étaient celles mêmes de Meursault et dont on ne peut s'empêcher de penser que l'auteur les avait empruntées à la part la plus intime de lui-même, aux souvenirs et aux rêves, aux exorcismes et aux méditations suscités par l'effort que tout homme tente pour comprendre, aimer, dépasser, se détacher de sa propre mère. La mère a perdu son mari, son fils l'a quittée. Elle vit comme une morte; elle tuera avec une triste indifférence. Dans le Malentendu, Camus nous donne de la mère le portrait qu'il n'avait pas fait dans l'Étranger; il lui arrive même de faire « penser » et « parler » son personnage en lui conférant dans certaines répliques une dimension métaphysique. La mère, dans le Malentendu, prend la mesure complète de sa signification.

L'échec relatif de la pièce n'a guère favorisé une étude attentive de l'œuvre et de ses valeurs. L'action était là, d'autre part, qui ne permettait guère l'exégèse.

Le 24 août 1944, le premier numéro de Combat, journal de la Résistance, était librement diffusé à Paris. Il publiait en première page un éditorial de Camus : «Paris fait feu de toutes ses balles dans la nuit d'août... »

Paris, la France, sont encore au cœur de la bataille, mais déjà l'éditorialiste de *Combat* veut préparer l'avenir. Il affirme que le combat a été «le terrible enfantement d'une révolution» et qu'il s'agit d'aller jusqu'au bout de cet espoir : «On ne peut pas espérer que des hommes qui ont lutté quatre ans dans le silence et des jours entiers dans le fracas du ciel et des fusils consentent à voir revenir les forces de la démission et de l'injustice sous quelque forme que ce soit.» Albert Camus, animateur du nouveau quotidien, va tenter de trouver la nouvelle mesure du monde qui se refait, mesure de la justice, mesure de l'honneur, mesure du bonheur. Il réclame l'épuration mais refuse les règlements de compte et la vengeance. Il récuse l'anticommunisme mais prend sa distance à l'égard des méthodes et de la doctrine du

Scène de la libération de Paris

Parti. La bombe d'Hiroshima lui inspire ce jugement : «La civilisation mécanique vient de parvenir à son dernier degré de sauvagerie.»

Pendant trois ans, *Combat* va exalter une formule journalistique qui sera l'honneur de la presse de la Résistance. Il remplace la course au sensationnel et au pittoresque par *l'information critique;* la mise en page «publicitaire» par un style sobre mettant en valeur toutes les ressources de la typographie. Il propose le regard neuf des hommes de talent : le philosophe Sartre effectuera le reportage sur Paris insurgé; Jacques Lemarchand, qui fréquente peu les théâtres, sera critique dramatique. Modèle d'écriture, d'élégance, de probité, *Combat* mena sur tous les fronts la bataille de la qualité, de la lucidité, de l'esprit contre tous les formalismes, contre l'esprit colonialiste, contre la violence, pour le socialisme, pour la paix.

Avec Pascal Pia, Albert Camus est l'âme de *Combat* : « Tout le personnel administratif, toute l'équipe de l'imprimerie, tous ceux qui l'approchaient, même s'ils n'avaient pas lu ses livres, même s'ils étaient très loin, par goût ou par nécessité, de l'univers des livres, comprenaient parfaitement qui était Camus et se trouvaient réconfortés et enrichis par son contact. » Mais l'honnêteté intellectuelle n'est pas une carte maîtresse dans la société de la Libération. Le seul langage de « l'humanité » ne trouve pas l'audience nécessaire à l'existence économique d'un quotidien, certaines méthodes libérales d'administration (Morvan Lebesque raconte que « les premiers jours, l'argent qui venait à *Combat* — dépositaires, crieurs, abonnés... — était jeté en vrac dans une corbeille. Le soir on faisait les comptes, on partageait »), la ligne même du journal qui veut rester témoin de la liberté pure dans le no man's land qui sépare la politique des blocs, la concurrence de plus en plus vive des confrères qui mettent en scène toutes les recettes-magazine du succès, éloignent peu à peu le *Combat* de Camus des intérêts immédiats de la foule. Sans doute demandait-il trop tôt un trop gros effort lorsqu'il s'écriait : « Il s'agit de refaire notre mentalité politique. Cela signifie que nous devons préserver l'intelligence. Il n'y a pas de liberté sans intelligence. »

Au printemps 1947, la grève des imprimeurs portera financièrement un coup fatal au journal qui changera de main, après avoir marqué les meilleurs esprits de cette génération.

Le prestige, la gloire de Camus, en cet après-guerre, sont immenses. Il est l'exemple de la pensée lucide et du courage. Son talent a été mis en pleine lumière avec le succès de *Caligula*, en 1945, qui révéla Gérard Philipe, et fit oublier *le Malentendu*. Camus a pris soin de préciser la ligne dramatique de la pièce : « Caligula est un homme que la passion de vivre conduit à la rage de destruction, un homme qui par fidélité à soi-même est infidèle à l'homme. Il récuse toutes les valeurs. Mais si sa vérité est de nier les dieux, son erreur est de nier les hommes. Il n'a

pas compris qu'on ne peut tout détruire sans se détruire soi-
même. C'est l'histoire de la plus humaine et de la plus tragique
des erreurs. »

Il nous raconte l'histoire du jeune empereur romain Caïus
Caligula qui, en 38 après Jésus-Christ, perd sa sœur Drusilla
qu'il aimait tendrement et incestueusement. Caligula découvre
avec fulgurance une vérité «toute simple, toute claire, un peu
bête... Les hommes meurent et ils ne sont pas heureux ».

Caligula va arracher les masques,«éprouver les cœurs comme
la mort». «L'insécurité, voilà ce qui fait penser. » Son «bonheur
dément» va le conduire au crime élevé à la dignité d'œuvre d'art.
Pour lui «tout le monde est coupable» et «l'exécution soulage
et délivre. Elle est universelle, fortifiante et juste dans ses appli-
cations comme dans ses intentions». Caligula rêve de la lune.
Son évangile est monstrueux, son implacable logique le conduit
à s'immoler lui-même en acceptant les coups des conjurés
dressés contre ses crimes. Il découvrira que sa «liberté n'est pas
la bonne» et que «la peur non plus ne dure pas».

La cruauté de la passion de Caligula est fascinante et incarne
le drame même de l'absurde vécu, et tout l'art de Camus est de
nous rendre complices des excès de son héros en provoquant
le rire et l'horreur. L'ambiguïté géniale et autodestructive du
jeune empereur en fait un personnage de théâtre à la taille
antique. La densité des personnages, la logique vivante des
situations, la poésie et la clarté du langage, donnent à la pièce
une force qui permet de la classer parmi les œuvres qui donnent
à l'époque une nouvelle dimension dramatique.

Le triomphe de *Caligula* répondit à la mise en accusation des
« philosophes de l'absurde », accusés de démissionner par les
chrétiens comme par les marxistes, c'est-à-dire par les deux
camps qui se partageaient le monde. *La Peste,* qui reçut le prix
des Critiques en 1947, apportait une nouvelle contribution au
dossier de la vérité.

Nous trouvons dans ce livre — qui est plus une tragédie qu'un
roman — l'écho du drame spirituel transposé, vécu par Camus
résistant, journaliste, polémiste, homme du siècle.

Dans Oran, «ville sans soupçon», l'esprit de la mort surgit le matin du 16 avril avec les rats pesteux, et chacun est placé devant sa vérité. Toutes ces voix de la conscience que l'auteur prête à ses personnages pourraient être celle même de l'éditorialiste tendu dans sa quête révolutionnaire. «J'ai décidé, dit Tarrou, fils de magistrat, de refuser tout ce qui, de près ou de loin, pour de bonnes ou de mauvaises raisons, fait mourir ou justifie qu'on fasse mourir.» Ou cette réflexion de Rambert qui pourrait être de Camus : «J'ai horreur des gens qui meurent pour une idée... Ce qui m'intéresse, c'est qu'on aime et qu'on meure de ce qu'on aime.»

Le jugement du père Paneloux : «Mes frères, vous êtes dans le malheur, mes frères, vous l'avez mérité. Trop longtemps ce monde a composé avec le mal, trop longtemps il s'est reposé sur la miséricorde divine» ; cette méditation de Rieux : «Puisque l'ordre du monde est réglé par la mort, peut-être vaut-il mieux pour Dieu qu'on ne croie pas en lui et qu'on lutte de toutes ses forces contre la mort sans lever les yeux vers le ciel où il se tait», sont du même esprit et conduisent à cette découverte finale «qu'il y a dans l'homme plus de choses à admirer que de choses à mépriser».

Dans Oran transformé en vaste camp de concentration, toutes les formes de peste qui rongent l'homme moderne sont en action. Le «contenu évident» de cette œuvre est «la lutte de la résistance européenne contre le nazisme». Plus symboliquement encore : «Qu'est-ce que ça veut dire la peste? C'est la vie et voilà tout.» *La Peste* est un pamphlet contre les forces sclérosées ou de désagrégation, l'administration, l'armée, la police prisonnière de règles byzantines, les affairistes, les spéculateurs, les journalistes avides de sensationnel. Mais c'est surtout un grand roman par l'écriture, la présence de chair et de sang des personnages, la description de leur caractère, la ligne de leur destin individuel parfaitement mise en lumière. L'épilogue nous apprend que tous les «nous» du livre sont les pluriels d'un «je». Et que le narrateur s'est proposé pour tâche d'écrire pour «ne pas être de ceux qui se taisent...» et de témoigner « de l'injustice et de la violence qui leur ont été faites ». Camus mit huit ans pour écrire cette chronique qui est « une confession, et tout y est calculé pour que cette confession soit d'autant plus entière que la forme en est plus indirecte ».

Commencée en 1939, *la Peste* fut achevée au moment où l'auteur devait renoncer au grand rôle qu'il voulait remplir devant l'opinion. L'Histoire descendait au creux d'une vague. « La peste, ça consiste à toujours recommencer. » La certitude est « dans le travail de tous les jours ». Après *l'Étranger*, Camus nous donne les clés de sa morale et nous précise l'acquis que ses années de vie et de combat lui ont apporté sur le plan littéraire, humain et philosophique. A la solitude répond la tendresse humaine. Cette joie qui vient « récompenser ceux qui se suffisent de l'homme et de son pauvre et terrible amour ».

Après son départ de *Combat*, le théâtre, avec une force nouvelle, sollicite Camus. En 1948 et 1949, il présente deux pièces : *l'État de siège*, au théâtre Marigny et *les Justes*, au théâtre Hébertot. Deux titres qui signifient nettement qu'il n'a rien abandonné de ses exigences.

Avec *l'État de siège*, Albert Camus exprime une double ambition, une très ancienne dont Jean-Louis Barrault lui a offert la réalisation en lui proposant d'écrire non pas « une pièce de structure traditionnelle, mais un spectacle dont l'ambition avouée [serait] de mêler toutes les formes d'expression dramatique, depuis le monologue lyrique jusqu'au théâtre collectif, en passant par le jeu muet, le simple dialogue, la farce et le chœur ». C'est le grand rêve théâtral de Camus ; l'autre de prolonger *la Peste* en mettant en accusation la tyrannie, cette dictature qui réapparaît dans le monde ravagé de l'après-guerre. Ce fut un échec, que *les Justes* firent oublier.

La pièce mettait en scène cinq terroristes russes qui considéraient le meurtre comme « nécessaire et inexcusable ». Ces « meurtriers délicats » trouvent leur échec à l'heure où l'un d'entre eux refuse de lancer sa bombe pour ne pas assassiner un enfant. La révolution n'a pas tous les droits. Un justicier ne peut être un assassin. «La fin justifie les moyens? Cela est possible. Mais qui justifiera la fin?»

Les Justes donnent l'occasion à Camus de fixer sa position par rapport à l'Histoire. «D'autres hommes viendront, après ceux-là, qui, animés de la même foi dévorante, jugeront pourtant ces méthodes sentimentales et refuseront d'admettre que n'importe quelle vie soit équivalente à n'importe quelle autre. Ils mettront alors au-dessus de la vie humaine une idée abstraite, même s'ils l'appellent l'Histoire, à laquelle, soumis d'avance, ils décideront, en plein arbitraire, de soumettre aussi les autres. Le problème de la révolte ne se résoudra plus en arithmétique mais en calcul des probabilités. En face d'une future réalisation de l'idée, la vie humaine peut être tout ou rien. Plus est grande la foi que le calculateur met dans cette réalisation, moins vaut la vie humaine. A la limite, elle ne vaut plus rien.»

Il refuse de se «passer d'honneur» et d'être de la «cohorte grimaçante de ces petits rebelles, graines d'esclaves, qui finissent par s'offrir, aujourd'hui, sur tous les marchés d'Europe, à n'importe quelle servitude».

On peut croire que Camus éprouve une grande fraternité pour «l'âme religieuse et sans Dieu» de Kaliayev, le terroriste qui lui inspira son sujet en refusant, le 2 février 1905, de lancer sa bombe sur le grand-duc pour ne pas immoler des innocents; pour cette «chevalerie» qui brûle de l'amour le plus humain, *les Justes* appartiennent à la tradition héroïque du théâtre, celle où l'honneur et la mort se disputent la vie, et leur cri retentit dans un monde empoisonné par la violence. Ce fut une victoire pour Camus.

Le théâtre et son exaltation ne détournent pas Camus de l'arbre de vie. L'actualité le sollicite et il accepte ses responsabilités. La révolte des Malgaches l'avait incité à s'élever contre la violence de la répression. «Le fait est là, clair et hideux à la vérité : nous faisons dans ces cas-là ce que nous avons reproché aux Allemands de faire.» En mars 1949, il lance un appel en faveur des communistes grecs condamnés à mort. Il démissionnera de l'UNESCO à la suite de l'admission de l'Espagne franquiste.

Les émeutes de Berlin-Est le feront monter à la tribune de la Mutualité pour s'écrier : « Quand un travailleur, quelque part au monde, dresse ses poings nus devant un tank et crie qu'il n'est pas un esclave, que sommes-nous donc si nous restons indifférents ? »

L'Homme révolté, en 1951, fixe le code de son action et de sa pensée philosophique. Une phrase résume sa position : « Je me révolte, donc nous sommes. »

Camus y fait acte véritable d'engagement politique, une politique qui serait d'abord tentative de démystification et qui, à partir de l'autocritique, ferait le point des attitudes de l'athée devant un monde absurde. Il examine toutes les réalités historiques de la révolte, de la rébellion la plus élémentaire jusqu'à la révolution marxiste, « cette croisade métaphysique démesurée ». Il isole les virus de toutes les faiblesses idéalistes et traque la falsification des moyens qui s'imposent comme fins. « Rien n'est pur » s'écriait déjà Caligula ; puis Maria du *Malentendu*, puis le père Paneloux dans *la Peste* lui firent écho. *L'Homme révolté* tente de leur répondre en fixant les bases d'une morale qui « refuserait éternellement l'injustice sans cesser de saluer la nature de l'homme et la beauté du monde ».

Les marxistes seront vivement émus des critiques profondes de Camus : « A l'esclave, à ceux dont le présent est misérable et qui n'ont point de consolation dans le ciel, on assure que le futur, au moins, est à eux. L'avenir est la seule sorte de propriété que les maîtres concèdent de bon gré aux esclaves. »

Pour Camus, « capital et prolétariat ont été également infidèles à Marx »... « Les ordres ont disparu sans que les classes disparaissent, et rien ne dit que les classes ne céderont pas la place à un autre antagonisme social »... « La rente est remplacée par la peine de l'homme et le développement ininterrompu de la production n'a pas ruiné le régime capitaliste au profit de la révolution. Il a ruiné également la société bourgeoise et la société révolutionnaire au profit d'une idole qui a le mufle de la puissance »... « Le prolétariat n'a plus de mission. Il n'est qu'un moyen puissant, parmi d'autres, aux mains d'ascètes révolutionnaires. » *L'Homme révolté* s'adresse à l'homme « coincé entre les pharaons cruels et le ciel implacable »... l'homme révolté qui sait que « la vraie générosité envers l'avenir consiste à tout donner au présent».

C e fut Jean-Paul Sartre qui releva le gant au nom de « la gauche ». Entre ces deux hommes, les différences sont aussi profondes que ce qui les unit. Leur dialogue passé ne doit pas faire illusion. Camus tente de construire un nouvel humanisme, ou du moins tente « d'empêcher que le monde se défasse » ; Sartre, sur le chemin du progressisme, refuse toute forme de vie équilibrée qu'il assimile au bourgeoisisme. Camus nie que l'Histoire soit un absolu de la violence et qu'elle engendre une loi nécessaire ; pour lui, le révolté peut se dresser contre la révolution si elle est injuste. Pour Sartre, la révolution est sacrée et l'Histoire un credo. Aussi longtemps que Camus se contentait de faire parler les personnages de son théâtre, on feignait de ne pas comprendre, mais dès que sa position devint « officielle », il fut « excommunié », au début de l'année 1952.

Le feu fut mis aux poudres par un article de Francis Jeanson, dans *les Temps modernes,* accusant Camus d'adopter devant l'Histoire une attitude consistant « à ne rien entreprendre », et de « baptiser révolte le consentement ». « Dieu, concluait Jeanson, vous occupe infiniment plus que les hommes. »

Camus répliqua qu'il s'agissait de prouver « que l'Histoire a un sens nécessaire et une fin, que le visage affreux et désordonné qu'elle nous montre n'est qu'un leurre et qu'au contraire elle progresse inévitablement». Camus accuse Jeanson, et à travers lui Sartre, de mauvaise foi : « La vérité est que votre collaborateur voudrait qu'on se révoltât contre toute chose, sauf contre le Parti et l'État communistes. »

La réponse de Jean-Paul Sartre mit fin à une amitié :

« Un mélange de suffisance sombre et de vulnérabilité a toujours découragé de vous dire des vérités entières. Le résultat, c'est que vous êtes devenu la proie d'une morne démesure qui masque vos difficultés intérieures et que vous nommez, je crois : mesure méditerranéenne... Une dictature violente et cérémonieuse s'est installée en vous, qui s'appuie sur une bureaucratie abstraite et prétend faire régner la loi morale... Vous étiez le premier serviteur de votre moralisme, à présent vous vous en servez. La république des Belles-Ames vous aurait-elle nommé son accusateur public?... Il se peut que vous ayez été pauvre, mais vous ne l'êtes plus : vous êtes un bourgeois, comme Jeanson et comme moi. Et la misère ne vous a chargé d'aucune commission... Car enfin de quoi s'agit-il ? Jeanson n'a pas aimé votre livre, il l'a dit, et cela ne vous a pas fait plaisir ; jusqu'ici rien que de normal... Mon Dieu, Camus, que vous êtes *sérieux,* et, pour employer un de vos mots, que vous êtes frivole ! Et si vous vous étiez trompé ? Et si votre livre témoignait simplement de votre incompétence philosophique ? S'il était fait de connaissances ramassées à la hâte et de seconde main ? S'il ne faisait que donner une bonne conscience aux privilégiés ? »

Une page de l'histoire des lettres se tournait. Cette rupture, cette division, devait s'incarner dramatiquement avec la guerre d'Algérie[5] qui bouleversa Camus. Dès le début des hostilités, il se porte dans le no man's land entre les deux armées et proclame que la guerre est une duperie et que le sang, s'il fait parfois avancer l'Histoire, la fait avancer vers plus de barbarie et de misère encore »... « De quoi s'agit-il ? D'obtenir que le mouvement arabe et les autorités françaises, sans avoir à entrer en contact ni à s'engager à rien d'autre, déclarent simultanément que, pendant toute la durée des troubles, la population civile sera, en toute occasion, respectée et protégée... Aucune cause ne justifie la mort de l'innocent... Pour n'avoir pas pu vivre ensemble, deux populations, à la fois semblables et différentes, mais également respectables, se condamnent à mourir ensemble, la rage au cœur. »

Certes, Camus ne se fait pas d'illusion : « Je sais que les grandes
tragédies de l'Histoire fascinent souvent les hommes par leurs
visages horribles. Ils restent alors immobiles devant elles sans
pouvoir se décider à rien, qu'à
attendre. Ils attendent, et la
Gorgone, un jour, les dévore. »
Mais Camus, qui recevra bientôt le prix Nobel de littérature[6]
ne veut pas douter de la voix
de la raison, la seule qui pourrait tout sauver. La terreur cependant exerce déjà sa fasci-
nation et les jeux politiques
sont faits. En publiant *la
Chute*[7] en 1956, Albert Camus
fait entendre, pour la première fois, une note de pessimisme las. Son héros, Clamence, s'est retiré du monde
et fait son autocritique. Son
réquisitoire achevé, ce juge-

Arthur Koestler

pénitent offre son portrait comme un miroir. « Qui oserait me
condamner dans un monde sans juge où personne n'est innocent?... Si nous ne pouvons affirmer l'innocence de personne,
nous pouvons à coup sûr affirmer la culpabilité de tous... Vous
voyez en moi, très cher, un partisan éclairé de la servitude...
En philosophie comme en politique, je suis pour toute théorie
qui refuse l'innocence à l'homme et pour toute pratique qui le
traite en coupable... Quand nous serons tous coupables, ce
sera la démocratie. »
La Chute, c'est le drame de l'homme seul, en exil parmi ses
contemporains, et impuissant à se faire comprendre. Un recueil
de nouvelles, *l'Exil et le royaume*, devait reprendre ce thème,
en 1957. Cette année-là, Camus publiait également ses *Réflexions
sur la peine capitale,* en collaboration avec Arthur Koestler;
enfin l'Académie royale de Stockholm lui décernait le prix

Nobel de littérature. Cet honneur lui valut d'être l'objet de nouvelles interpellations où on lui reprocha, à propos de l'affaire algérienne, de placer le sort de sa mère avant la cause de la révolution. Mais après le Nobel, l'homme de quarante-six ans, chargé de gloire, qui alla s'incliner dans le petit cimetière de Saint-Brieuc sur la pauvre tombe de son père, pouvait sans crainte affronter ses souvenirs. Le plan pour un statut politique de l'Algérie qu'il proposa peu après témoignait de sa fidélité à sa terre, à l'honneur et aux réalités d'un humanisme que la guerre seule pouvait briser.

Avec l'Été, qui paraît en 1954, Camus nous dit que « la première chose est de ne pas désespérer... Il est vain de s'inquiéter pour l'esprit, il suffit de travailler pour lui... qu'on n'oublie pas en tout cas la force de caractère... c'est elle qui, dans l'hiver du monde, préparera son fruit ». Et comme preuve, il prépare un nouveau roman : le Premier homme, et se voue au théâtre.

A l'occasion du festival d'Angers en 1953, Camus avait affirmé son talent de metteur en scène en animant sur les remparts du château la Dévotion à la Croix de Calderon et les Esprits de Larivey. Son sens du mouvement, son audace, sa conduite des acteurs sont appréciés. En 1956, il adapte et monte aux Mathurins Requiem pour une nonne, de William Faulkner, dont il fait une tragédie ardente. Puis ce furent les Possédés, qu'il tira du roman de Dostoïevski avec un grand succès. André Malraux songe à lui confier la direction d'un théâtre.

Le 4 janvier 1960, à 13 h 55, sur la route de Sens à Paris, une « Facel-Véga » s'écrasa avec un « bruit terrible » sur un platane et rebondit sur le suivant. L'un des quatre passagers de la voiture avait été tué sur le coup. On l'identifia : Albert Camus, écrivain, né le 7 novembre 1913 à Mondovi, département de Constantine.

L'histoire ne s'arrête pas avec cette mort, ses œuvres poursuivent le but qu'il s'était fixé : rendre la justice imaginable et le bonheur significatif [8]. « Naturellement, c'est une tâche surhumaine. Mais on appelle surhumaines les tâches que les hommes mettent longtemps à accomplir, voilà tout. » Et nul doute que si Albert Camus avait pu choisir son épitaphe, il n'eût pas refusé l'invocation de Pindare qu'il avait mise en exergue au *Mythe de Sisyphe* comme un appel : « Ô mon âme, n'aspire pas à la vie immortelle, mais épuise le champ du possible. »

A. P.

[1]
Emmanuel Roblès, chapitre II : « La marque du soleil et de la misère », expose les causes et le développement de la vocation méditerranéenne de Camus.

[2]
Jean Daniel, au chapitre III : « Le combat pour *Combat* », analyse le rôle de Camus dans la presse de la Résistance et de la Libération, à la direction du journal *Combat*.

[3]
Pierre-Henri Simon, dans le chapitre IV : « Le combat contre les mandarins », retrace l'évolution de la pensée de Camus à travers son œuvre et le conflit qui l'opposa à ses pairs.

[4]
Morvan Lebesque, chapitre V : « La passion pour la scène », étudie les pièces de Camus et évoque Camus homme de théâtre.

[5]
Jules Roy, au chapitre VI : « La tragédie algérienne », montre le déchirement d'Albert Camus pendant les années de la guerre d'Algérie et explique les raisons de son silence.

[6]
R.-M. Albérès, au chapitre VII : « Le prix Nobel », fait le point de la « situation » de Camus sur le plan intellectuel et moral en France et à l'étranger au moment où le Nobel lui est attribué.

[7]
Pierre Gascar, chapitre VIII : « Le dernier visage de Camus », se fondant sur « la Chute », décrit la dernière étape de l'itinéraire spirituel de Camus.

[8]
Pierre de Boisdeffre, dans le chapitre IX : « Camus et son destin », s'efforce de prévoir le destin de l'œuvre d'Albert Camus et la place qu'il gardera dans la mémoire des hommes.

SÉQUENCE I

La jeunesse méditerranéenne

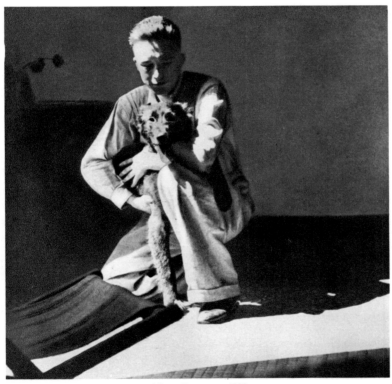

Albert Camus en 1936

L'enfance à Belcourt...

Camus en 1927

« *Je pense à un enfant qui vécut dans un quartier pauvre. Ce quartier, cette maison! Il n'y avait qu'un étage, et les escaliers n'étaient pas éclairés!* » C'est à Belcourt, quartier populaire d'Alger, qu'après la mort de son mari tué à la bataille de la Marne, Madame Camus vient s'installer avec ses deux fils. Pour assurer l'existence de la famille, elle n'a que sa pension de veuve de guerre et le produit de ses « ménages ». Albert fréquente la communale : à la sortie des classes, il joue avec ses camarades, gosses d'ouvriers ou d'artisans, dans des ruelles bruyantes où, le soir venu, tout le monde vit dehors. De cette pauvreté partout présente dans ses jeunes années, les souvenirs de Camus ne garderont cependant aucune amertume : « *La belle chaleur humaine qui régnait sur mon enfance m'a privé de tout ressentiment.* »

Une rue de Belcourt

Terrasse de café à Belcourt

La partie de pétanque dans les faubourgs

A la terrasse des cafés, la journée finie, les Européens s'attablent devant l'anisette et occupent leurs loisirs à jouer aux dés ou aux boules. Pour ce peuple naïvement jaloux de son particularisme affirmé à travers des principes sourcilleux et un langage original — le pata-ouète — Camus se montrera à la fois sévère et indulgent : « Ces barbares... j'ai l'espoir insensé qu'à leur insu peut-être, ils sont en train de modeler le visage d'une culture où la grandeur de l'homme trouvera enfin son vrai visage. Ce peuple tout entier jeté dans son présent vit sans mythes, sans consolations. »

t cependant non sans poésie ».

Camus enfant dans l'atelier de son oncle (assis, le deuxième à partir de la gauche)

*L'atelier de l'oncle tonnelier offre encore à Albert l'image d'un monde
de labeur et de responsabilités. Sous la chaleureuse fraternité d'un prolétariat où se coudoient Arabes et Européens, il apprend à lire la dure
condition de chacun de ces hommes : « A Belcourt comme à Bab-el-
Oued, on se marie jeune. On travaille très tôt et on épuise en dix ans
l'expérience d'une vie d'homme. Un ouvrier de trente ans a déjà joué
toutes ses cartes. Ses bonheurs ont été brusques et sans merci. De même
sa vie. Et l'on comprend alors qu'il soit né dans ce pays où tout est
donné pour être retiré. »*

Camus au lycée Bugeaud d'Alger (au dernier rang, le deuxième à partir de la droite)

La khâgne d'Alger, porte ouverte sur la rue d'Ulm et le concours de l'agrégation, est l'étape décisive d'une ascension difficile. Dans le milieu où Camus est né, règne un violent préjugé contre les études : un grand-oncle d'Albert aurait menacé d'un coup de fusil quiconque ferait de son petit-neveu un « intellectuel ». Frappé par les dons de l'enfant, l'instituteur, M. Germain, ignore la menace et le présente en 1924 à l'examen des bourses du lycée. Chaque jour, Camus aura à parcourir le chemin qui sépare deux univers, le quartier des pauvres et l'école des bourgeois.

font de Camus le disciple et l'ami de Jean Grenier.

Jean Grenier

Jean Grenier, son professeur de philosophie au lycée puis à la faculté des Lettres d'Alger, exerça sur Camus une influence déterminante. « On retrouvera toujours l'écho de la pensée de Grenier dans tout ce que j'écrirai. Et j'en suis très heureux. » Il tient de lui une certaine ironie dans la manière d'aborder les problèmes de l'existence mais aussi un ton de scepticisme grave. A ce maître à penser, qui fut en même temps un ami fidèle, Camus dédiera « la Mort dans l'âme », « l'Envers et l'Endroit », « l'Homme révolté » et en 1959 il préfacera la réédition d'une série de courts essais de Jean Grenier : « les Iles ».

Mouloud Feraoun et Camus

Gabriel Audisio

Camus, Mohamed Dib et Emmanuel Roblès

*Dans sa boutique de la rue Charras, à l'enseigne des « Vraies Richesses »,
le libraire Charlot réussit à grouper de jeunes écrivains qui ont en
commun la volonté d'incarner et d'exalter un type de civilisation et
des valeurs strictement « méditerranéennes ». Il éditera « l'Envers et
l'Endroit » puis « Noces » de Camus, à côté de textes de Jean Grenier,
du peintre René-Jean Clot et de Claude de Fréminville. Mais l'âme
du cénacle, le plus acharné à dégager et définir le « message » algérien,
est le poète essayiste Gabriel Audisio, de treize ans l'aîné de Camus,
qui avait déjà publié deux recueils à Paris.*

Emmanuel Roblès, né en 1914 à Oran, a connu une jeunesse semblable à celle de Camus, qu'il devait rencontrer à la Maison de la Culture d'Alger en 1937. Il participera à la revue « Rivages », fondée en 1939 grâce à l'éditeur Charlot, et « qui n'eut que deux numéros, mais deux conques dorées que l'on peut encore porter à l'oreille si l'on veut écouter la rumeur harmonieuse » de l'éternelle Méditerranée. Directeur d'une collection « Méditerranée », il a continué à révéler au public parisien une fertile école d'écrivains algériens, parmi lesquels Mouloud Feraoun, Mohamed Dib, Ahmed Sefrioui et Kateb Yacine.

L'ivresse de vivre...

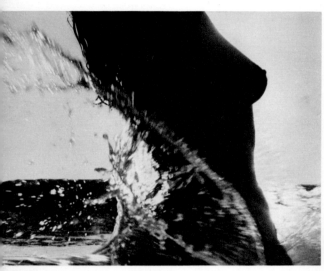

Baigneuse

« Il me faut être nu et puis plonger dans la mer, encore tout parfumé des essences de la terre, laver celles-ci dans celle-là, et nouer sur ma peau l'étreinte pour laquelle soupirent lèvres à lèvres depuis si longtemps la terre et la mer. Entré dans l'eau, c'est le saisissement, la montée d'une glu froide et opaque (...) la nage, les bras vernis d'eau sortis de la mer pour se dorer dans le soleil et rabattus dans une torsion de tous les muscles ; la course de l'eau sur mon corps, cette possession tumultueuse de l'onde par mes jambes... Sur le rivage, c'est la chute dans le sable, (...) abruti de soleil, avec de loin en loin, un regard pour mes bras où les flaques de peau sèche découvrent, avec le glissement de l'eau, le duvet blond et la poussière de sel. Je comprends ici ce qu'on appelle gloire : le droit d'aimer sans mesure. Il n'y a qu'un seul amour dans ce monde. Étreindre un corps de femme, c'est aussi retenir contre soi cette joie étrange qui descend du ciel vers la mer. »

La plage d'El-Alia

*... n'exclut pas la luci-
dité : « Ici même,
je sais que jamais
je ne m'approcherai
assez du monde. »*

*« Dans ce mariage des ruines et
du printemps, les ruines sont
redevenues pierre, et perdant le
poli imposé par l'homme, sont
rentrées dans la nature... »
Tipasa, cité romaine en ruines
dormant à côté des villages de
pêcheurs, a joué pour Camus le
rôle d'un révélateur. « A Tipasa,
je vois équivaut à je crois, et je
ne m'obstine pas à nier ce que
ma main peut toucher et mes
lèvres caresser... Tipasa m'apparaît comme ces personnages qu'on
décrit pour signifier indirectement
un point de vue sur le monde. »
L'éternité souveraine de ce paysage lui découvre le caractère
périssable des civilisations et la
fragilité du destin humain. « Tout
à l'heure, quand je me jetterai
dans les absinthes pour me faire
entrer leur parfum dans le corps,
j'aurai conscience, contre tous les
préjugés, d'accomplir une vérité
qui est celle du soleil et sera celle
de ma mort. Dans un sens, c'est
bien ma vie que je joue ici, une
vie à goût de pierre chaude, pleine
des soupirs de la mer et des cigales
qui commencent à chanter maintenant. »*

Tipasa

L'absurde.

Maria Casarès et Marcel Herrand dans
« le Malentendu »

*Pièce de révolte, « le Malentendu »
pourrait comporter, selon l'expression même de Camus, « une morale de la sincérité ». « Si l'homme veut être reconnu il lui faut dire simplement qui il est. S'il se tait ou s'il ment il meurt seul et tout, autour de lui, est voué au malheur. S'il dit vrai au contraire, il mourra sans doute mais après avoir aidé les autres et lui-même à vivre. » Ce goût de la vérité est aussi celui de Meursault, le héros de « l'Étranger ». Cet employé de bureau algérois, absent aux réalités quotidiennes, qu'il s'agisse de la mort de sa mère, de l'amour, de l'amitié ou même du crime que les circonstances, plus que sa volonté, vont l'amener à commettre, cet homme va mourir irréconcilié avec la société, solitaire mais sûr de lui. Paru pendant l'occupation et accusé d'esprit démissionnaire, ce roman où Camus allait jusqu'au bout de la lucidité était fait pour « aider les autres et lui-même à vivre ».*

Plage d'Algérie

La guerre d'Espagne confronte brusquement Camus avec la violence.

Aux combattants espagnols qui, dans un grand élan de foi révolutionnaire, partent pour un combat sans merci, Camus se sent lié non seulement par une communauté d'origine — de son ascendance espagnole il a gardé certains traits physiques, comme la maigreur du visage, le regard tour à tour grave et ironique, et cette « castillanerie » de caractère qui faisait sourire son maître Jean Grenier —, mais surtout par la solidarité de classe et par l'idéal de liberté. Dès le début, il a pris parti pour le peuple. Sa première pièce « Révolte dans les Asturies », rédigée avec trois camarades et présentée comme un « essai de création collective », annonce prophétiquement la défaite des forces populaires abandonnées par les démocraties occidentales et la victoire de Franco. « La révolution a été entièrement écrasée. Grâce au gouvernement espagnol, héroïquement assisté de l'armée et de la force publique, on vient de sauver en Occident les principes essentiels de la démocratie et de la civilisation latine. »

Tuer ne résout rien.

Dessins pour les costumes de « Caligula »
par Marie Viton

« Caligula est un homme que la passion de vivre conduit à la rage de destruction, un homme qui, par fidélité à soi-même, est infidèle à l'homme. Il récuse toutes les valeurs. Mais si la vérité est de nier les dieux, son erreur est de nier les hommes. Il n'a pas compris qu'on ne peut tout détruire sans se détruire soi-même. » Créé en 1945 par un acteur génial, Gérard Philipe, que Camus guidait de ses conseils, « Caligula », dont le schéma initial, abstrait et philosophique, s'était enrichi de toutes les résonances de la guerre, fut le premier succès indiscutable de Camus à la scène. « Le Mythe de Sisyphe » va définir d'une manière philosophique la notion d'absurde qu'illustrait la pièce. Contrepoint de Caligula, victime de « la plus humaine et de la plus tragique des erreurs » : Sisyphe, qui méprise les dieux, et dont le destin figure la condition humaine. *« La lutte elle-même vers les sommets suffit à remplir un cœur d'homme. Il faut imaginer Sisyphe heureux ».*

Camus observant Gérard Philipe
dans le rôle de Caligula

alger républicain

MISÈRE DE LA KABYLIE

I. — LA GRÈCE EN HAILLONS

par **Albert CAMUS**

« Vivement la guerre. On nous donnera de quoi manger... »

Je sentais bien alors qu'il n'y avait rien pour ces hommes, ni ailleurs, ni guerre mondiale, ni aucun des soucis de l'heure, en face de l'affreuse misère qui met des plaintes sur tant de visages

« Alger Républicain » (8 juin 1939)

Douar en Kabylie

La fameuse enquête en Kabylie que Camus réalisa en 1939 pour le nouveau journal « Alger Républicain », décidé à ébranler l'ordre colonial, est un réquisitoire sobre, sans cesse étayé par des chiffres, dépourvu de toute concession à la littérature. Camus analyse avec lucidité les causes de la misère des paysans kabyles et propose les réformes politiques, économiques et sociales susceptibles de la faire cesser. Repoussant le palliatif de la charité, il revendique la justice et n'hésite pas à citer en exemple l'expérience parfaitement réussie d'un village kabyle qui avait obtenu l'autorisation de s'administrer lui-même.

Femme et enfant kabyles

« Alger Républicain » (25 juin 1939)

Dans l'affaire El-Okbi, où il démontre l'innocence d'un musulman accusé d'assassinat par les autorités et pour des raisons manifestement politiques, comme dans l'affaire Hodent, Camus n'aura de cesse que les inculpés ne soient innocentés. « Il n'y a pas de spectacle plus abject que celui d'hommes ramenés au-dessous de leur condition d'hommes. » Dans cette lutte quotidienne, il est aidé par Pascal Pia, fondateur d'« Alger Républicain », à qui il dédiera « le Mythe de Sisyphe ». Cependant, le gouvernement général, exaspéré par cette agitation anti-conformiste, donne à Camus le « conseil » de quitter Alger.

Camus sera expulsé d'Algérie.

Les ruines de Tipasa

CHAPITRE II

La marque du soleil et de la misère

PAR EMMANUEL ROBLÈS

Dans toute l'œuvre d'Albert Camus rayonne le fulgurant soleil d'Afrique qui traque impitoyablement les ombres et sans cesse, à travers ces pages, la mer fait entendre sa rumeur. Mer et soleil, les seules divinités que nous reconnaissions et adorions en nos jeunes années et dont Camus devait tirer le premier nom de *l'Étranger* : Mersault. Le *u*, il ne l'ajouta que plus tard, pour l'euphonie. Je me souviens de nos longues promenades sur les collines de Bouzaréa et de certaine baignade au pied de la presqu'île par un après-midi de printemps à Sidi-Ferruch, non loin du monument qui commémorait des journées de bataille. Il était résistant et souple, le corps harmonieux, à l'aise dans sa nudité, bon nageur.

Jamais il ne cessait de paraître attentif à la beauté des sites que nous fréquentions, aux variations de la lumière qui, dans le

Sahel, modifient les couleurs et les formes et nuancent tout aussi subtilement l'âme. Il avait l'art, dans ses premiers écrits, de fixer toutes ces nuances avec une facilité, une sorte de virtuosité qui nous émerveillaient. C'était bien là ce que nous-mêmes avions ressenti, mais lui savait l'exprimer au plus près, restituer l'émotion la plus fugitive. « Certains soirs sur la mer, au pied des montagnes, la nuit tombe sur la courbe parfaite d'une petite baie et des eaux silencieuses monte alors une plénitude angoissée. » *(L'exil d'Hélène.)* « L'incessante éclosion des vagues sur le sable me parvenait à travers tout un espace où dansait un pollen doré. Mer, campagne, silence, parfums de cette terre, je m'emplissais d'une vie odorante et je mordais dans le fruit déjà doré du monde, bouleversé de sentir son jus sucré et fort couler le long de mes lèvres. » *(Noces à Tipasa.)* «Sur ces plages d'Oranie, tous les matins d'été ont l'air d'être les premiers du monde. Tous les crépuscules semblent être les derniers, agonies solennelles annoncées au coucher du soleil par une dernière lumière qui fonce toutes les teintes. La mer est outremer, la route couleur de sang caillé, la plage jaune. Tout disparaît avec le soleil vert ; une heure plus tard les dunes ruissellent de lune. Ce sont alors des nuits sans mesure sous une pluie d'étoiles.» *(Le Minotaure.)* Et cette notation dans *l'Été à Alger,* si intense à son cœur qu'il l'a reprise en partie pour le dialogue de l'empereur et du jeune Scipion à l'acte II de *Caligula :* « Ces courts instants où la journée bascule dans la nuit, faut-il qu'ils soient peuplés de signes et d'appels secrets pour qu'Alger en moi leur soit à ce point liée? Quand je suis quelque temps loin de ce pays, j'imagine ses crépuscules comme des promesses de bonheur. Sur les collines qui dominent la ville, il y a des chemins parmi les lentisques et les oliviers. Et c'est vers eux qu'alors mon cœur se retourne. J'y vois monter des gerbes d'oiseaux noirs sur l'horizon vert. Dans le ciel soudain vidé de son soleil, quelque chose se détend. Tout un petit peuple de nuages rouges s'étire jusqu'à se résorber dans l'air. Presque aussitôt après, la première étoile apparaît qu'on voyait se former et se durcir dans l'épaisseur du ciel. Et puis, d'un coup, dévorante, la nuit. Soirs fugitifs d'Alger, qu'ont-ils donc d'inégalable pour délier tant de choses en moi? Cette douceur qu'ils me laissent aux lèvres, je n'ai pas le temps de m'en lasser qu'elle disparaît déjà dans la nuit. Est-ce le secret de sa persistance? La tendresse de ce pays est bouleversante et furtive. Mais dans l'instant où elle est là, le cœur du moins s'y abandonne tout entier. »

C'est ce sentiment qui lui faisait me dire à Paris : « Chez nous quand la nuit tombe, nous éprouvons tous le besoin de sortir dans la rue. Ici, au contraire, nous ne pensons qu'à nous enfermer. » Aussi, par les cré-puscules parisiens, si oppres-sants, j'aime à évoquer Camus dans ce décor des collines du Sahel, verdoyant l'hiver, tout crissant aux jours chauds du chant des cigales... Lorsqu'il venait me voir à Bouzaréa, dans les années qui ont suivi la guerre, il parcourait de nouveau ces chemins haut perchés d'où, par des échappées, on voit en bas la baie la plus lumineuse du monde. Il me pressa même, en 1947, de lui trouver une maison comme la mienne, une maison de campagne sur la crête, ou-

Alger : basilique Notre-Dame d'Afrique

verte sur la mer entre les arbres et qui dominait les deux pentes de la presqu'île, l'une vers Alger à travers le moutonnement des feuillages, l'autre vers Saint-Eugène et Staouéli où se cachent, au creux des vallons, de gracieuses villas mauresques datant de la Régence.

Un matin, il travaillait chez moi à une scène des *Justes*. Lorsqu'il eut terminé il me rejoignit dans le jardin, contempla longuement le paysage, le cap Matifou au loin et les montagnes de Blida et me dit, de ce ton de raillerie qu'il prenait volontiers dans les moments d'émotion vraie : « Tu as de la chance ».

Et je me souvins qu'il avait écrit dix ans plus tôt cet aveu que souvent je retrouvais en moi : « J'aime cette vie avec abandon et veux en parler avec liberté : elle me donne l'orgueil de ma condition d'homme. Pourtant, on me l'a souvent dit, il n'y a pas de quoi être fier. Si, il y a de quoi : ce soleil, cette mer, mon cœur bondissant de jeunesse, mon corps au goût de sel et l'immense décor où la tendresse et la gloire se rencontrent dans le jaune et le bleu. C'est à conquérir cela qu'il me faut appliquer ma force et mes ressources. »

Cette conquête il l'avait déjà entamée ardemment dans ses années d'adolescence, surtout à Tipasa, petite localité sur la côte à l'ouest d'Alger. Les «noces» de Camus et de Tipasa, une pierre gravée par notre ami le sculpteur Louis Bénisti les rappelle sur les lieux mêmes qui les ont célébrées. Tipasa, au doux nom, la colline de Sainte-Salsa et ses sarcophages vides amoncelés autour des restes de la basilique, les vignes, le petit port de pêche et le promontoire où s'étagent les ruines de la ville antique parmi les oliviers ; le sable doré tout en bas et la mer qui fait « un bruit de baisers »... Tout au fond, d'un seul élan, monte la masse du Chenoua, « brune et verte ». « Voici, nous dit Camus, le vieux dieu moussu que rien n'ébranlera, refuge et port pour ses fils dont je suis ! »

Oui, fils de cette nature libre et belle, là il s'est «ouvert à la tendre indifférence du monde». Tipasa, ce sera désormais, pour lui, «l'enfance violente, les rêveries adolescentes dans le ronronnement du car, les matins, les filles fraîches, les plages, les jeunes muscles toujours à la pointe de leur effort, la légère angoisse du soir dans un cœur de seize ans, le désir de vivre, la gloire, et toujours le même ciel au long des années, intarissable de force et de lumière, lui-même dévorant une à une, des mois durant, les victimes offertes en croix sur la plage, à l'heure funèbre de midi». *(Retour à Tipasa.)*

Pour être vrai, je dois avouer combien j'ignorais l'extrême tension de sa sensibilité. Sans jamais jouer «les durs», comme

nous y inclinaient souvent notre tempérament et notre goût des attitudes, il savait dissimuler cette sensibilité sous des airs volontiers flegmatiques. Et cependant il pouvait jouir de l'instant présent, avec raffinement et aussi avec une hâte jalouse, à l'écoute qu'il était de lui-même, de ses plus fines vibrations. Je fus ému, tout particulièrement, de découvrir cette confidence dans *Noces* (lui qui se confiait si peu!) lorsque parut le recueil chez notre ami Edmond Charlot, à l'enseigne, ô Giono, des «Vraies Richesses» : «Il ne me plaît pas de croire que la mort ouvre sur une autre vie. Elle est pour moi une porte fermée. Je ne dis pas que c'est un pas qu'il faut franchir mais que c'est une aventure horrible et sale. Tout ce qu'on me propose s'efforce de décharger l'homme du poids de sa propre vie. Et devant le vol lourd des grands oiseaux dans le ciel de Djemila, c'est justement un certain poids de vie que je réclame et que j'obtiens.» Et ceci n'était pas une conception, plus ou moins intellectuelle, de cette «aventure horrible et sale»; il en avait eu une expérience intime qui l'avait laissé comme ivre de révolte. Dangereusement malade, en effet, à la suite d'un refroidissement contracté au cours d'une partie de football, par certain jeudi pluvieux, il a été ce garçon à qui on a pu dire lorsqu'il était couché, dévoré de fièvre : «Vous êtes fort et je vous dois d'être sincère : je peux vous dire que vous allez mourir.» Il a été ce garçon qui préférait cela, cette brutalité, cette franchise à tous les pieux mensonges, qui préférait devant ce monde ni se mentir ni qu'on lui mente et «regarder sa fin avec toute la profusion de sa jalousie et de son horreur».
Pourtant, tout au long de ces années, ni la trahison de son corps, ni l'échec d'un premier mariage, ni la déception d'une brève mais forte expérience au sein du parti communiste, ni la misère, enfin, si tenace, n'altéraient en rien cette ardeur à vivre qui éclairait ses yeux.
Réellement, il semblait puiser toute son énergie, tout son voluptueux et sombre bonheur dans ses noces quotidiennes avec le soleil et la mer. Plusieurs fois je l'ai retrouvé dans la librairie d'Edmond Charlot, ou au café des Facultés, à son retour d'une

baignade au bout du môle, le maillot encore humide roulé dans le poing. Il était alors détendu, comme apaisé, et répondait en souriant à la question inévitable : « Elle était bonne ? » En quelques mots précis il parlait de l'eau, du plaisir de la baignade, de ses rencontres. Il m'approuvait de bon cœur lorsque je lui affirmais qu'en définitive il n'existait que deux grandes joies au monde : être couché sur une femme et nager dans une eau claire.

C'était là de ces certitudes qu'il aimait, dont il se grisait, et la grande ombre qui le traquait leur donnait à ses yeux une valeur d'irremplaçables richesses. Une telle plénitude, je sus à quel fond de désespoir il la puisait non par ses confidences parlées mais par les premiers écrits qu'il livrait à la publication. « Dans ces plaines tourbillonnantes au soleil et dans la poussière, dans ces collines rasées et toutes croûteuses d'herbes brûlées, ce que je touchais du doigt c'était une forme dépouillée et sans attraits de ce goût du néant que je portais en moi. » *(La mort dans l'âme.)* Mais dans le spectacle de la beauté, dans sa communion avec toutes les grâces du monde, comme dans la conscience de leur durée fugitive, « un équilibre se poursuivait ». « Là était tout mon amour de vivre : une passion silencieuse pour ce qui allait peut-être m'échapper, une amertume sous la flamme. » De loin en loin cette passion affleurait dans ses propos, mais avec une pudeur orgueilleuse. Je me souviens de cet après-midi d'octobre 1937 et de notre rendez-vous à la terrasse du café des Facultés. J'étais soldat à Blida et j'avais donné à lire à Camus le manuscrit de mon premier roman, une histoire de grève à Alger, *l'Action,* que l'éditeur Edmond Charlot hésitait à publier.

Devant nous, sur ce large trottoir de la rue Michelet, dans le flot des passants, on voyait de ces jeunes filles d'Alger, si belles, en robe légère et sandales, que Camus parfois suivait longuement du regard. Dans mon récit, plein de violence et de clameurs, certaines pages l'avaient particulièrement touché, celles qui décrivaient l'un de mes personnages, obsédé par une angoisse secrète, et qui tentait de s'en délivrer par l'action

révolutionnaire. A son propos, je notai que cette angoisse finit par ôter tout sens à la vie : « Les hommes passent comme l'eau d'un fleuve et parce qu'il y a toujours des hommes on oublie que ce ne sont pas toujours les mêmes. On finit par se croire éternel comme ces foules. » Mais j'ajoutai que mille signes quotidiens pouvaient rappeler la grande ombre qui accompagnait la moindre de nos joies : la dépouille d'un chien en bordure de la route, une étoile, le soir, dans le ciel glacé...
— C'est ça, c'est bien ça, me dit Camus rêveusement.

Je l'ai connu à vingt ans, maigre, le teint pâle, le visage osseux, toujours soigné dans sa mise, avec une légère pointe de coquetterie dans sa fidélité au nœud papillon. Il avait la démarche aisée, un ton de voix un peu sourd, toujours égal, ce qui n'était pas si commun dans cette société de Méditerranéens exubérants, volontiers criards, et qui, sans arrêt, « joignent le geste à la parole ».

Contrairement à la plupart d'entre nous, il savait écouter. Il pouvait suivre nos propos avec une attention concentrée et l'un de ses charmes, à coup sûr, provenait de cet intérêt qu'il accordait aux autres, dont il paraissait toujours estimer la présence, la manière, comme dit Unamuno, « de peser sur la terre ».

Il avait ce regard grave, souvent tourné vers l'intérieur, parfois teinté d'une méfiance lointaine, qui est le regard des hommes de l'arène, habitués à vivre en constante familiarité avec la mort. J'avais connu quelques-uns de ces bestiaires du temps de ma vie à Oran, d'où chaque année je me rendais assidûment aux « fallas » de Valence et d'Alicante. Surtout j'avais rencontré Ortega dont Camus avait le corps sec et musclé, la même intensité presque insoutenable des prunelles et cette passion de vivre nouée au creux de l'âme qui se sait sans trêve menacée. L'un et l'autre apportaient une ardeur un peu sombre à jouir de chaque heure comme si elle devait être la dernière. Un air de musique, un arbre dans l'immobilité de la lumière, un corps de femme, avaient un langage qui ne répondait pour eux à aucune question « parce qu'il les rendait inutiles ». « Ce n'était pas, écrivait Camus, des actions de grâces qui pouvaient me monter aux lèvres, mais ce Nada qui n'a pu naître que devant des paysages écrasés de soleil. Il n'y a pas d'amour de vivre sans désespoir de vivre. » *(L'Envers et l'Endroit.)*

Déjà Lorca, sur le corps déchiré de son ami le matador Sanchez Mejias, avait traduit ce sentiment dans des vers que Camus appréciait (nous fréquentions, dans ces années, un réfugié espagnol, Pablo, sosie d'Alphonse XIII, dont la prodigieuse mémoire contenait un trésor de poèmes) :

> « Je chante à jamais ton profil et ta grâce
> Ton désir de la mort et le goût de sa bouche
> Et ta tristesse au fond de ta vaillante joie. »

Sanchez Mejias, de la même manière, s'efforçait au bonheur malgré sa hantise, mais quoi, vient l'heure où la barrière s'ouvre et c'est toujours le taureau qui sort.

A dire vrai, l'Espagne, pour Camus, était vivante dans son sang et bien au-delà de cette « castillanerie » dont plaisantait Jean Grenier. Elle était d'abord dans ce « sentiment tragique de la vie » qui est fondamentalement au fond du cœur de l'homme espagnol, à qui Miguel de Unamuno souhaitait que Dieu n'accordât pas de paix. « Y Dios no te dé paz y si gloria... » Selon ce vœu, Camus, d'une ville lumineuse de Provence, a pris sa dernière route, l'âme toujours insurgée.

Mais cette « castillanerie » était très réelle et se manifestait par des traits de caractère et de comportement dont, tout d'abord, une fierté ombrageuse. Celle-ci, sous l'effet de certains aiguillons, pouvait même éclater en accès de violence malgré cette maîtrise de soi qu'ordinairement il affectait. Un soir, par exemple, à la Maison de la Culture, rue Charras, il se jeta poings en avant sur un garçon qui, au cours d'une discussion politique un peu trop enflammée, était allé jusqu'à l'injure. On peut avoir le goût du néant, le sentiment de l'absurde et de la vanité de

toute chose en ce monde et ne pas supporter qu'on fasse bon
marché de sa dignité. Ces deux positions ne sont pas incom-
patibles, on le sait. Elles sont même reliées l'une à l'autre. « Pas
d'ardeur à vivre sans déses-
poir de vivre », certes, mais
vivre ce n'est pas exister à
n'importe quel prix. Une anec-
dote que Camus aimait à
conter illustre cela mieux que
tout commentaire. En France,
pendant l'occupation, des officiers allemands, sur un quai
de gare, attendent un train.
Près d'eux discutent des
jeunes gens français. L'un
d'entre eux dit soudain à
haute voix : « Aucune cause
au monde ne vaut qu'on
meure pour elle. » L'un des
officiers tire son revolver,
l'appuie sur le cœur de l'ado-

Miguel de Unamuno

lescent : « Répétez donc et je vous tue. » Le jeune Français blêmit,
regarde l'Allemand, regarde l'arme et répète : « Aucune cause
au monde ne vaut qu'on meure pour elle. » « Eh bien, dit
l'autre en rengainant, vous venez de prouver le contraire. »
Cette petite histoire, qu'il avait sans doute inventée lui-même,
il la rapportait souvent en soignant ses effets, et non sans malice.
Cette fierté se complétait d'un goût, bien ibérique aussi, de la
justice qui aboutissait maintes fois à de nouveaux combats
contre les moulins. Il s'émouvait vite et fort à découvrir la
moindre iniquité. Sur cette terre où chacun de nous est promis
à cette « aventure horrible et sale » qu'est la mort, il ne suppor-
tait pas qu'on pût à quiconque voler une seule chance de
bonheur.
Dans une de ses *Lettres à un ami allemand*, il a lui-même reconnu
son goût violent de la justice qui lui paraissait « aussi peu rai-

sonné que la plus soudaine des passions ». Il était pour lui « une chaleur de l'âme » et il procédait aussi de sa « fidélité à la terre ». « Je continue de croire, écrivait-il encore dans ce même texte, que ce monde n'a pas de sens supérieur. Mais je sais que quelque chose en lui a du sens et c'est l'homme, parce qu'il est le seul être à exiger d'en avoir. »

Ce n'était pas là que des formules purement littéraires. Ces formules-là, il les vivait intensément chaque jour. Malgré tous les Sancho qui, parmi nous, l'exhortaient à la prudence, il ne laissa jamais passer une occasion de pointer sa lance et les occasions, d'ailleurs, ne manquaient pas dans cette Algérie d'avant la guerre où, comme il le dénonçait dans un numéro d'*Alger républicain,* « les grands colons voulaient que l'unique loi fût la leur ».

Et d'ajouter ce beau défi : « Nous ne nous inclinerons, nous, que devant le seul pouvoir légal et régulier : celui de la France démocratique et républicaine. » Cela sonnait bien, ô chevalier ! Mais environ un an plus tard, il succombait sous les coups, et la loi du plus fort lui fut signifiée par le commissaire de police de son quartier. Ce commissaire manquait d'humour et il ne comprit jamais pourquoi, à certains faits délictueux dont il donnait lecture, Camus insolemment en ajoutait d'autres qu'il ignorait.

Peu après il dut passer la mer, quitter de force cette ville qu'il aimait, ce pays qui était « sa vraie patrie ». N'importe, il s'était bien battu, les yeux ouverts, sans jamais composer avec sa conception de la justice. Il avait révélé tous les scandales de l'administration indigène, « préconisé l'alliance dans le respect mutuel avec nos frères musulmans » ; mais qui, dans ces années-là, pensait à l'écouter ? On l'injuriait lorsqu'il enquêtait sur la grande misère de la Kabylie, on le menaçait lorsqu'il défendait le cheik El Okby, homme admirable que j'ai eu le bonheur d'approcher en 1956. Le cheik El Okby avait été accusé de l'assassinat du grand muphti d'Alger. Parce qu'il était d'opinion nationaliste, certains hauts fonctionnaires de l'administration coloniale avaient à cœur de le perdre. Il en réchappa, mais

Camus n'avait pas peu contribué à désamorcer la machination. De la même manière il devait s'enflammer pour la cause d'un obscur commis de ferme de la région de Tiaret, innocent d'un vol de blé dont son employeur, un riche et irascible colon, l'accusait. Il avait tout aussi passionnément soutenu la cause des militants allemands contre le nazisme, qui mouraient dans les camps et dans les isolateurs de Neuköln et de Moabit; exalté jour après jour les Espagnols qui se faisaient obstinément tuer pour leur République et dont l'espoir, comme la terre sous leurs pieds, se rétrécissait à chaque heure.

Pour cette Espagne exsangue mais encore debout, que de craintes, que d'élans ! Quand réunira-t-on les admirables pages que Camus lui a consacrées ? Pour ma part, je retrouve dans mes notes des échos de cette passion qui le soulevait alors, et par exemple, il vitupérait la muflerie de tel rédacteur du journal adverse, *la Dépêche algérienne*, quand celui-ci écrivait que les combattants des Brigades internationales (récemment dissoutes par le gouvernement républicain) n'étaient « partis qu'avec le secret désir de l'aventure qui enrichit ». Camus, indigné, vit dans cette phrase « la preuve d'une bassesse qu'aucun mot ne saurait qualifier ». « On ne comprend pas, ajoutait-il, que ce qui attache tant de

Malraux pendant la guerre d'Espagne

nous à l'Espagne républicaine ce ne sont pas de vaines affinités politiques mais le sentiment irrépressible que de son côté se trouve le peuple espagnol, si pareil à sa terre, avec sa noblesse profonde et son ardeur à vivre. » Que d'ennemis il s'était donné en Algérie, ce don Quichotte de vingt ans! Et toujours parmi les puissants ! En revanche, que d'amis ! A ce sang d'Espagne qu'il avait en lui on peut, en effet, attribuer aussi ce sens de la fraternité virile dont Saint-Exupéry et Malraux avaient déjà la religion.

Pour ceux qu'il aimait, Camus était d'un dévouement absolu. Que nous accablât quelque accident de santé ou que nous prît quelque désagrément, il était là aussitôt, assidu, prévenant, inquiet, efficace.

Pour plate qu'elle fût, sa bourse nous était toujours ouverte. Un après-midi que je quêtais en faveur d'un de mes camarades espagnols, réfugié à Alger, malade et sans ressources, spontanément Camus vida entre mes mains tout le contenu de son portefeuille. Il ne devait guère changer avec l'âge. Et je me souviens de l'effarement de sa jeune femme lorsque, à Paris, au retour de la banque où il était allé spécialement retirer ce qu'il possédait, il lui avoua qu'il n'avait plus rien. En chemin, il avait rencontré un camarade d'Alger en détresse.

Il pouvait montrer également une patience, une indulgence infinies et Dieu sait si nous en avons tous — et souvent — abusé ! Enfin, il avait l'art de faire plaisir à ses amis ou de les aider en se cachant. Beaucoup d'heureuses surprises nous tombaient du ciel, qu'il avait secrètement préparées.

Mais s'il était amené à retirer son estime, la rupture alors restait définitive. Jamais plus il ne revenait en arrière. Sur certains rapports d'amitié, il affirmait une intransigeance sans faille. C'est à lui-même que peuvent s'appliquer ces réflexions que l'on relève dans son *Petit guide pour des villes sans passé :* « Les hommes de ce pays (l'Algérie), c'est là leur force, ont apparemment plus de cœur que d'esprit. Ils peuvent être vos amis (et alors quels amis !) mais ils ne seront jamais vos confidents. C'est une chose qu'on jugera peut-être redoutable dans ce Paris où se fait une si grande dépense d'âme et où l'eau des confidences coule à petit bruit, interminablement, parmi les fontaines, les statues et les jardins. »

S'il ne se confiait guère, lui non plus, c'était davantage par l'effet de cette pudeur virile qui, disait-il, « s'habille si volontiers d'ironie». Mais il aimait appartenir à un groupe, s'intégrer à une équipe, qu'elle fût sportive, journalistique ou théâtrale. Il en acceptait la discipline, se pliait aux servitudes les plus obscures avec bonne humeur, semblait même y trouver de visibles satisfactions. Ceux qui l'ont connu dans la période où il dirigeait *Alger républicain* savent qu'il ne répugnait à aucune tâche et qu'aussi bien il pouvait se charger de l'éditorial ou d'un grand reportage comme de la vérification du cours des Halles. Au théâtre, et de la même manière, il n'était pas seulement adaptateur, metteur en scène et acteur mais, comme tous les camarades, il travaillait aux décors, plantait des clous, maniait le pinceau et la scie avec la même application et le même zèle.

Comme Saint-Exupéry, il aimait à être « le camarade confondu dans l'équipe anonyme». D'ailleurs, à l'époque de ses premières tentatives théâtrales, il préconisait cet anonymat : «Un théâtre sans vedette où les comédiens ne saluent pas, où les acteurs sont aussi machinistes, peintres, électriciens, afficheurs, costumiers...»

Mais ces années intenses restaient aussi des années de pauvreté. Cette pauvreté, Camus la vivait avec l'indifférence d'un paysan arabe ou andalou. Lorsque je l'ai connu, il logeait dans une chambre que meublait un seul coffre, à la fois armoire et lit, une chambre nue avec d'innombrables livres rangés par terre le long des murs. Il a raison d'écrire dans sa préface à la réédition par Gallimard de *l'Envers et l'Endroit* : «J'ai appris à cette époque une vérité qui m'a toujours poussé à recevoir les signes du confort, ou de l'installation, avec ironie, impatience, et quelquefois avec fureur. Bien que je vive maintenant sans le souci du lendemain, donc en privilégié, je ne sais pas posséder. Ce que j'ai, et qui m'est toujours offert sans que je l'aie recherché, je ne puis rien en garder. Moins par prodigalité, il me semble, que par une autre sorte de parcimonie : je suis avare de cette liberté qui disparaît dès que commence l'excès des biens. Le plus grand des luxes n'a jamais cessé de coïncider, pour moi, avec un certain dénuement. J'aime la maison nue des

Arabes et des Espagnols. Le lieu où je préfère vivre et travailler (et, chose plus rare, où il me serait égal de mourir) est la chambre d'hôtel. »

Dans ce même texte il reconnaît combien la lumière et l'éclatante beauté d'Alger, avec la douceur de son climat, l'aidaient à supporter cette pauvreté qu'il n'a jamais considérée comme un malheur. « Pour corriger une indifférence naturelle, je fus placé à mi-distance de la misère et du soleil. La misère m'empêcha de croire que tout est bien sous le soleil et dans l'Histoire ; le soleil m'apprit que l'Histoire n'est pas tout. »

Il y avait ce soleil d'Alger, l'une de ses richesses, et il y avait aussi l'amitié. Qu'il me bouleverse toujours ce souvenir que rappelle l'un d'entre nous, et des meilleurs, Charles Poncet ! Comme il poussait Camus à accepter enfin d'entrer dans un sanatorium, à ne plus retarder un traitement qui devenait absolument indispensable, il s'entendit répondre : « Je ne pourrais pas vivre parmi des étrangers, loin des amis. J'ai besoin de vous tous. »

Cela dut être dit avec ce sourire de légère ironie qui chez Camus accompagnait les rares moments où il se livrait.

En fait, plus que bien d'autres peut-être, il avait besoin de chaleur humaine. Fréquemment, il prenait l'initiative de repas ou de réunions d'après-dîner, où il s'entourait de ceux qu'il aimait. Dans ces occasions il se montrait toujours gai, plein d'entrain. Il employait volontiers le dialecte des faubourgs d'Alger, contait des histoires en « pataouète » qu'il s'amusait parfois à noter. On en trouve même un bon exemple inséré dans *Noces*, à la fin de *l'Été à Alger* : « Alors Coco y s'avance et y lui dit : « Arrête un peu, arrête. » L'autre y dit : « Qu'est-ce qu'y a ? » Alors Coco y lui dit : « Je vas te donner des coups... » »

Plus tard, à Paris, après la guerre, il tint à retrouver l'atmosphère de nos soirées sur les hauteurs d'Alger et, chaque mois, nous nous réunissions autour d'une table dans quelque petit restaurant de Saint-Germain-des-Prés. On y voyait Edmond Charlot, Louis Miquel, Charles Poncet, Marie Viton, Claude de Fréminville, Robert Namia... Chaque fois il invitait lui-même un «étranger» qui pouvait être le critique américain John Brown, ou Arthur Koestler, ou tel éditeur belge avec sa très blonde, très capiteuse et jolie femme... Et nous jouions à les étourdir en ne parlant par moments que dans notre dialecte dépenaillé. Souvent la soirée se terminait dans un cabaret,

et qui a vu Camus danser a pu découvrir le secret de cette jeunesse de cœur que rien ne pouvait flétrir. « Mais qu'est-ce que le bonheur, sinon le simple accord entre un être et l'existence qu'il mène? Et quel accord plus légitime peut unir l'homme à la vie sinon la double conscience de son désir de durée et son destin de mort? On y apprend du moins à ne compter sur rien et à considérer le présent comme la seule vérité qui nous soit donnée par « surcroît ». Mais le présent lui-même, dans la période

Camus à Alger en 1937

d'Alger, ne se laissait pas savourer sans inquiétude, beau fruit qu'on tenait dans les mains et qu'on devinait prêt à pourrir. La terre entière crépitait alors de tous ses incendies qui, bientôt, ne formeraient plus qu'un seul et immense brasier. Terreur en Tchécoslovaquie où sévissaient les nazis, troubles sanglants en Palestine, lutte sauvage des Chinois contre l'envahisseur japonais, et Hitler à Berlin, et l'Espagne crucifiée ! Le monde, nous le savions, était prêt à basculer dans l'horreur de ses futurs charniers.

Un homme de la sensibilité et du style de Camus ne pouvait rester sourd à ces clameurs. Sa hantise de la mort, il pouvait l'exorciser par le culte de la beauté et de l'amitié, par les plaisirs du corps, par l'exercice d'une impitoyable lucidité et aussi grâce à une disposition particulière à jouir des richesses de cette nature méditerranéenne. Les plages de Tipasa, Bouzaréa et ses collines, les jolies baies silencieuses près de Sidi-Ferruch étaient les paradis qui réconciliaient avec le monde un jeune homme que pressaient la maladie et l'obsession du suicide. Mais demeurer à l'écoute attentive et délectable de soi-même suppose la volonté de s'affranchir des autres. Et il est vrai que dans *Noces,* il a pu écrire un jour : « C'est dans la mesure où je me sépare du monde que j'ai peur de la mort, dans la mesure où je m'attache au sort des hommes qui vivent au lieu de contempler le ciel qui dure. »

En fait, ce ne fut là qu'une tentation provisoire née dans la seule ivresse de l'instant, sur ces rivages lumineux où depuis des millénaires l'homme a su regarder en face son destin sans cesser jamais de savourer tous les enchantements qui exaltent ou qui consolent.

Les plages de Tipasa, solitaires «comme au premier matin du monde», n'étaient pas le désert souhaité. Et si Camus savait supporter sa misère avec indifférence, il était par nature incapable d'accepter sans s'émouvoir la misère d'autrui. C'est pourquoi, à maintes reprises, on le voit obstiné à surmonter cette tentation, à en atténuer les traces : «Oui, ce que j'aime dans les villes algériennes ne se sépare pas des hommes qui les peuplent.» *(Guide pour des villes sans passé.)* Et ceci encore : «La pauvreté, d'abord, n'a jamais été un malheur pour moi : la lumière y répandait ses richesses. Même mes révoltes en ont été éclairées. Elles furent presque toujours, je crois pouvoir le dire sans tricher, des révoltes pour tous, et pour que la vie de tous soit élevée dans la lumière. »

Non, il ne trichait pas. Il s'indignait à constater chaque jour autour de lui la détresse des musulmans algériens, l'effroyable condition qu'on leur imposait. Cette condition, il avait pu l'observer durant son enfance. Belcourt, en effet, est en bordure de ce quartier arabe du Marabout derrière lequel s'étend un des plus grands bidonvilles d'Alger.

Plus tard, Camus allait se révolter contre les humiliations que

subissaient les Algériens sur leur propre terre où, après tant
d'années, on continuait à leur rappeler qu'ils étaient des vaincus.
Le spectacle de tant d'abandon, de tant d'injustice, lui était
absolument intolérable. J'ai un souvenir précis de la manière
dont il réagissait à ce malheur. Un soir nous revenions ensemble
de la kasbah et, comme nous passions sous les arcades de la
rue Bab Azoun, un attroupement attira notre attention. On
faisait cercle autour d'une femme arabe qui mendiait, accroupie
dans ses haillons. Elle tremblait de fièvre et regardait avec
effroi et lassitude l'agent de police qui la tourmentait, voulait
l'obliger à «circuler». Camus intervint avec une vivacité colé-
reuse. C'est à l'hôpital qu'il fallait la conduire. Deux auto-
mobilistes lui donnèrent raison et après un débat rageur —
l'agent réagissait mal — on fit monter la femme dans une voiture, en route pour Mustapha. Certes, pour les âmes fortes,
ce n'est là, somme toute, qu'un incident banal, mais en ce qui
concerne Camus, il convient de lui conserver sa profondeur
réelle. Dans cette émotion et cette colère s'enracine une réflexion
qui le conduira au parti communiste et fera de lui un journaliste
de combat, soucieux de dénoncer, au mépris des menaces, le
scandale de l'administration indigène et l'égoïsme des grands
possédants de la colonie.

Aux offices touristiques qui présentaient Alger comme une
cité radieuse, *Alger républicain* opposera la grande enquête de
Lucienne Jean-Darrouy sur les bidonvilles et les taudis de la
kasbah. Aux dirigeants de *l'Écho d'Alger* qui réfutaient les
rumeurs sur «un prétendu malaise kabyle», Camus lui-même
répondra par son célèbre reportage (cf. *Actuelles III*). Toute
la Kabylie, il devait la parcourir non à partir d'un confortable
hôtel de Tizi-Ouzou, comme son confrère de *l'Écho*, mais en
faisant étape dans les villages de montagne, chez des amis du
journal.

A cette époque, au sujet de l'Algérie, sa position était celle
qu'avait exprimée *Alger républicain* dans son éditorial du
6 octobre 1938 : « Pour *Alger républicain*, il ne saurait y avoir
deux sortes de Français mais une seule, qui englobe le Pari-

sien, indigène de Paris, le Marseillais, indigène de Marseille ou l'Arabe, indigène d'Algérie. C'est pourquoi nous réclamons l'égalité sociale immédiate de tous les Français, quelles que soient leur origine, leur confession ou leur philosophie. C'est pourquoi nous réclamons l'acheminement des indigènes d'Algérie vers l'égalité politique. C'est pourquoi nous réclamons le bénéfice pour les populations d'Afrique du Nord des lois sociales et des mesures d'assistance et d'hygiène dont bénéficient les habitants de la métropole. » (Déjà, le récent Congrès musulman organisé à Alger avait demandé, contre la volonté des grands colons, « le rattachement pur et simple à la France avec suppression des rouages spéciaux : délégations financières, communes mixtes, Gouvernement général ».)

Et avec l'Algérie, l'Europe. A peine entrevue, celle-ci lui avait révélé ses sinistres banlieues ouvrières, ses ciels glacés, ses sombres servitudes. Là-bas, au cours de rapides voyages hallucinés, il avait pris la mesure de ses propres privilèges : une vie pauvre, mais libre, sous un climat dont la douceur ôtait à la misère son poids d'irrémédiable désespoir.

De toute manière, au cœur de ses noces avec la terre, Camus était bien contraint d'écouter les salves d'exécution qui tout près de lui déchiquetaient l'Espagne. Il y avait le sable tiède, les vagues, les filles fraîches, ce ciel noir de soleil et ces minutes suspendues dans l'espace, immobiles comme une éternité, et il y avait aussi, menaçante, la rumeur des usines et des camps militaires dans un univers d'acier.

C'est pourquoi il me paraît significatif que dans ces années d'Alger, le même nom fictif de Meursault (ou Mersault) accordé à sa devise « Mer et soleil », il l'ait employé à la fois pour le personnage de *l'Étranger* et comme pseudonyme dans son journal *le Soir républicain* (qui en 1939 succéda au quotidien du matin, assommé sous les coups de l'administration).

Le dualisme de Camus est immédiatement discernable dans le double visage du Meursault qui, au fond de sa cellule, accepte la mort en écoutant les «rumeurs d'un monde à jamais indifférent», et du Jean Mersault qui, dans une *Lettre à un jeune Anglais*

sur l'état d'esprit de la nation française réclame le droit pour tous
à la vérité et à la justice.

Meursault, qui s'enferme dans sa prison secrète, plus étroite
que celle de pierres, et Mersault, qui revendique hautement
pour les autres, l'un abandonné au fond d'une geôle de
condamné, l'autre à l'écoute de tous les conflits humains,
dans cette gigantesque oreille du monde qu'est une salle de
rédaction, c'est aussi l'apparente contradiction de Camus.
Elle s'étage de l'absurde à la révolte, de l'aventure individuelle
au combat collectif, des paysages ensoleillés du Sahel aux
sinistres prisons d'Europe; car de *l'Étranger* à *la Peste* et du
Mythe à *l'Homme révolté,* ce sont ces contradictions surmontées,
harmonieusement fondues, qui ont fertilisé son œuvre qu'un
certain dessèchement aurait pu menacer. Entre le refus et l'adhésion, un chemin d'étoiles est né de sa fidélité à la terre, de
son besoin passionné de lumière et de communion. Ne s'est-il
pas écrié à son retour de Tipasa : « Oui, il y a la beauté et il y
a les humiliés. Quelles que soient les difficultés de l'entreprise,
je voudrais n'être jamais infidèle ni à l'une ni aux autres. »
Et c'est précisément à Tipasa, au bord de l'eau, que ses amis
ont eu l'idée de dresser cette pierre brute qui porte son nom
gravé. Comme celle de Sisyphe, cette pierre, fardeau sans âme,
témoigne pour une fidélité supérieure, face à la mer et au ciel
immuables, et déjà toute dorée par d'innombrables soleils.

E. R.

Albert Camus

CHAPITRE III

Le combat
pour « Combat »

PAR JEAN DANIEL

Devant certains portraits de Camus, l'impatience vient de ce que les images de bonheur y sont par trop négligées. Or, pour ceux qui l'ont connu, ces images restent en définitive les plus vives. Pour savoir ce que peut être un homme heureux, il faut sans doute avoir vu Camus devant la mer et dans le soleil ; passionné par un match de football, ou ravi de se mêler aux danseurs dans un bal populaire ; mais pour avoir le spectacle d'un homme comblé il faut avoir surpris Camus en train de préparer une mise en scène de théâtre, ou encore, et c'est ce qui nous occupe ici, étudier une mise en page. Au marbre parmi les typographes, dans la salle de rédaction rédigeant un éditorial, dans une conférence de rédacteurs réagissant sur l'événement, il vivait la plénitude d'un équilibre dynamique.

Constater cela c'est en fait, déjà, presque tout dire. Cela revient en effet à décrire la façon dont Camus vivait son journalisme. Il était comblé : donc en accord avec lui-même ; sans nostalgie ; sans aucun regret de ce que le journalisme l'empêchait de faire, bref, sans aucun de ces drames intérieurs qui définissent la grande majorité des journalistes comme des exilés : littérateurs refoulés, philosophes aigris ou professeurs repentis. Pour Camus, le journalisme n'était pas l'exil mais le royaume. Il y était chez lui. Non qu'il sous-estimât les limites de ce métier. Il a dit au contraire combien trois servitudes, notamment, lui pesaient : d'avoir à tenir compte de l'opinion de trop de gens à la fois et donc de dire toujours moins qu'on ne voudrait dire ; d'avoir à écrire rapidement et donc de ne pas « revoir sa pensée » ; surtout enfin de ne pouvoir éviter de se faire des ennemis, ce dont il avait horreur : « C'est une souffrance perpétuelle, a-t-il confié à un ami typographe, car il faut bien convenir que nous sommes dans la métropole de la méchanceté, du dénigrement et du mensonge systématiques. »[1] . Mais rien de tout cela ne lui paraissait compromettre l'essence du journalisme ; et d'ailleurs, lui qui ne séparait jamais les genres et qui cherchait dans toutes les sociétés les artisans et les artistes, il aimait la difficulté, croyait que rien n'est donné et tout se gagne, et affirmait que du fait même de ses contraintes spécifiques le journalisme était un des plus beaux métiers qu'il connût. A certaines conditions, bien sûr, on va le voir. Mais ce qui irritait le plus Camus c'était qu'on pût être journaliste et mépriser son métier ; que l'on s'autorisât de ce mépris pour contribuer à l'avilissement du journalisme. Ici comme ailleurs, Camus refusait que la lucidité pût être un alibi au cynisme. « Même si rien n'existe, tout n'est pas permis. » Or, dans le journalisme autant que dans l'art, si la lucidité peut mener parfois au pessimisme, elle ne peut conduire au nihilisme sous peine de se nier. Aux journalistes malheureux de l'être, et qui pouvaient faire autre chose, Camus conseillait d'abandonner leur métier. Le plus vite possible, non pas tant pour eux-mêmes que pour le journalisme.

1. « A Albert Camus, ses Amis du livre ».

Mais lui, ce puritain agnostique, comment pouvait-il s'arranger
d'une profession parfois si discréditée ? Dans l'activité pétulante
qu'il déployait on pouvait déceler à quel point le journalisme
était pour lui justifié : combien peu il se souciait de lui trouver
on ne sait quelle excuse. Pourtant ses cris, ses imprécations, ses
colères et l'intensité de son mépris prouvaient bien l'existence,
dans la profession, d'un problème sérieux. Mais ce problème,
il croyait l'avoir résolu pour lui et pour son équipe. Il ne l'avait
pas fui ; il lui avait fait face, y trouvant son épanouissement.
Cette fameuse oscillation entre le désert et le forum, le soleil et
le théâtre, l'écriture et l'action, bref, entre la solitude et la solidarité, Camus l'a acceptée, non comme Montherlant, en glori-
fiant « l'alternance », mais en réalisant des moments de synthèse
privilégiés. Le journalisme fut à coup sûr l'un de ces moments.
Il y a trouvé d'abord une communauté : le travail en équipe,
la camaraderie de l'effort, l'intense complicité artisanale des
bâtisseurs, le partage viril et fraternel des contraintes. Camus
depuis toujours admirait les artisans, les hommes d'un métier,
les ouvriers manuels dont le travail n'est pas encore aliéné
par la civilisation industrielle. L'une des nouvelles qu'il a écrites
avec le plus de ferveur se situe dans un atelier de tonneliers[2].
C'était, on le sait, le métier de l'oncle de Camus. Ces tonneliers
se comportent humainement comme les typos les plus esti-
mables que Camus ait fréquentés. Une certaine humanité idéale
y est décrite : silencieux, sobres, graves, amoureux de leur travail, naturellement solidaires, sachant apprécier avec la même
volupté pudique une anisette ou les premières étoiles qui apparaissent au-dessus du port encore embrasé d'Alger, ces tonneliers pourraient être des personnages de Tolstoï. *Les Muets*
(c'est le titre de la nouvelle), c'est *Maître et Serviteur* à Alger.
Et Camus devait retrouver Tolstoï, à Paris, dans les syndicats
du livre.
Tolstoï, mais aussi Federico Garcia Lorca. Car il y avait l'impé-
tueuse joie de la dépense physique, les nuits que l'on ne peut pas

2. « L'Exil et le Royaume », nouvelles.

ne pas prolonger après la dernière page partie pour la fabrication, les amis que l'on ne peut plus quitter après douze heures d'obsession commune, le dernier verre, le dernier regard de femme, la dernière danse et puis, soudain, dans les vertiges du petit matin, la complaisante amertume que donnent la conscience de l'éphémère, la découverte de la vanité, l'interrogation sur le destin : vers trois heures du matin on peut trouver dans les rues de toutes les capitales du monde des journalistes errants et qui passent de la prétendue « débauche » à la mystique. Sur ce chemin dostoïevskien, Camus prétendait se retenir. « Aussi déchaîné dans le travail que dans le plaisir », disait-il de lui-même. Il s'arrêtait à Lorca. Le bonheur ne lui est jamais apparu coupable, ni le plaisir suspect. A la condition d'y associer une notion (aujourd'hui douteuse s'il faut en croire les auteurs de « contre-expertises » !) et qui est la responsabilité. Ainsi revenons-nous aux conditions camusiennes de la dignité journalistique. Dans un article devenu introuvable, et qu'il avait écrit pour le dernier numéro d'une revue que je dirigeais alors [3], Camus affirma avec retentissement son respect pour le journalisme et sa fierté d'appartenir à la profession. Mais, répondant à ceux qui se plaignaient non de la presse mais du public, il ajoutait : « Loin de refléter l'état d'esprit du public, la plus grande partie de la presse française ne reflète que l'état d'esprit de ceux qui la font. A une ou deux exceptions près, le ricanement, la

Federico Garcia Lorca

3. « Caliban » (1947-1951).

gouaille et le scandale forment le fond de notre presse. A la place de nos directeurs de journaux, je ne m'en féliciterais pas : tout ce qui dégrade en effet la culture raccourcit les chemins qui mènent à la servitude. Une société qui supporte d'être distraite par une presse déshonorée et par un millier d'amuseurs cyniques, décorés du nom d'artistes, court à l'esclavage malgré les protestations de ceux-là mêmes qui contribuent à sa dégradation. » Comme je lui faisais remarquer que le journal qui avait refusé les méthodes dégradantes, le journal *Combat* que lui, Camus, avait dirigé, n'avait pas survécu, il m'a répondu : « *Combat* a été un succès. Il n'a pas disparu. Il fait la mauvaise conscience de quelques journalistes. Et parmi le million de lecteurs qui ont quitté la presse française, quelques-uns l'ont fait parce qu'ils avaient longtemps partagé notre exigence. Nous referons *Combat,* ou l'équivalent, un jour, quand la situation économique sera stabilisée. Nous avons fait pendant deux ans un journal d'une indépendance absolue et qui n'a jamais rien déshonoré. Je ne demandais rien de plus. Tout porte fruits, un jour ou l'autre. C'est une question de choix. Si les écrivains avaient la moindre estime pour leur métier, ils se refuseraient à écrire n'importe où. Mais il faut plaire, paraît-il, et pour plaire se coucher. Parlons franc : il est difficile apparemment d'attaquer de front ces machines à fabriquer ou à démolir des réputations. Quand une gazette, même ignoble, tire à six cent mille exemplaires, loin de l'offenser, on prie son directeur à dîner. C'est pourtant notre tâche de refuser cette sale complicité. Notre honneur dépend de l'énergie avec laquelle nous refuserons la compromission. »

Ombrageux et hautain, ce ton ne pouvait qu'achever d'exaspérer ses ennemis. Mais, de ces derniers, Camus ne se souciait plus guère. C'était en 1951. Camus avait cessé de diriger *Combat* depuis 1947. Lorsque la formule de *Combat* eut changé, il y avait eu deux sortes de réactions. Les partisans de la grande presse triomphèrent : ils attendaient depuis longtemps l'échec de ce jeune homme (Camus avait trente ans au moment des premiers numéros de *Combat*) qui entendait donner des leçons aux vieux routiers et qui paraissait, malgré une formule insolemment exigeante, s'être mis en plus sur le chemin de la réussite commerciale. De 1947 à 1951, ce fut l'époque où la presse issue de la Résistance perdit de plus en plus de lecteurs, où furent lancés les fameux périodiques érotico-commerciaux, la presse dite du cœur, et où quelques journaux se transformèrent en se reniant. D'autres, quelques écrivains familiers de Camus, furent presque rassurés ; ils disaient qu'un *Combat* qui eût réussi n'eût pas été *Combat* : « le Christ non crucifié n'est pas le Christ, il y a des échecs qui sanctifient, Camus se devait de clamer dans le désert et d'ailleurs l'auteur du *Mythe de Sisyphe,* de *l'Étranger* et de *Caligula* se devait à son œuvre ». Ces deux réactions révoltèrent Camus ; et peut-être encore davantage la seconde que la première. Il se voulait si réaliste, si lucide, si responsable, qu'il s'indignait qu'on fît de lui un utopiste ou même un prophète. Lui qui adorait le présent niait qu'on ne pût travailler que pour un improbable avenir. Lui qui ne s'intéressait aux victimes que pour les tirer de leur état répugnait à voir dans l'échec une bénédiction. C'était aussi une question d'orgueil professionnel : il prétendait connaître les ficelles, la « cuisine », et la stratégie du métier ; il entendait démontrer que la réussite avait eu lieu grâce à un dépassement là, précisément, où les uns affectaient de voir une faillite par présomption, et les autres un échec par apostolat. En défendant, et souvent avec exaspération, sa conception du journalisme, Camus protégeait sans doute l'une de ces rares synthèses qui lui avaient permis l'épanouissement. Mais c'est aussi que sa foi dans le journalisme était demeurée intacte. Les lettres des milliers de lecteurs qui ne cessaient de lui écrire depuis la disparition de *Combat* ne faisaient que parfaire la solidité de cette foi. On voit comment à ses yeux le journalisme se condamnait : par l'asservissement au pouvoir de l'argent, l'obsession de plaire à n'importe quel prix, la mutilation de la vérité sous un prétexte commercial ou idéologique ; par la flatterie des pires instincts, « l'accrochage » sensationnel, la vulgarité typographique ; en un mot : par le mépris de ceux à qui on s'adresse.

Il s'agit en somme du procès de ceux qui réduisent les moyens d'information soit à une simple entreprise commerciale soumise à la loi capitaliste de l'offre et de la demande, soit à un instrument de puissance soumis à la règle totalitaire de la propagande. Est-il possible de soustraire totalement le journalisme à ces deux servitudes? L'implacable condamnation de Camus rend la question décisive. Qui fut Camus pour se permettre un aussi péremptoire réquisitoire? Qu'a-t-il fait? A-t-il jugé, *ex cathedra,* au-dessus de la mêlée? Ou, comme un réformateur engagé, a-t-il réussi à offrir l'exemple qui justifie le procès? Et d'abord comment Camus est-il devenu journaliste? Pour tous ceux qui méditent sur notre métier, rien n'est plus fécond que de tenter la genèse de la vocation d'un homme d'exception. Dans ce cas, cette genèse d'ailleurs est aisée. Il y a au départ, dans le journalisme, le goût de l'expression; le besoin de regarder, en soi et devant soi, pour transmettre; le désir de se considérer comme un relais entre le signe et la chose signifiée. Comme corollaire à ce désir, il y a, aussi, un indéniable exhibitionnisme. Ce terme n'est péjoratif que pour les pharisiens : une certaine dimension dans la vitalité s'accompagne en effet presque toujours d'un désir d'action sur les autres et d'une étude des effets que l'on produit sur eux. Une personnalité agissante force le regard et devient elle-même spectacle, c'est-à-dire exhibition. Il y a un exhibitionniste, un acteur, en tout homme d'expression. Comment n'y en aurait-il pas eu un, au surplus, dans le jeune Camus qui, à Alger, ne rêve que de théâtre? Pourquoi ce rêve? Il l'expliquera plus tard. Une crise de tuberculose avait décuplé des appétits de vie déjà grands. Il avait quelque chose à dire, la vie est brève et il voulait le dire partout. Comment avoir plusieurs destins? «Tout être sain tend à se multiplier.» La solution à l'absurdité du monde peut être une morale de la quantité. Le don juanisme est une solution mais : «de ce que tout doive un jour mourir, c'est l'acteur qui tire la meilleure conclusion».[4] Le plateau, le forum et la

4. « Le Mythe de Sisyphe ».

salle de rédaction sont bien les lieux bénis de la multiplication. Aussi rien n'est-il plus naturel que le passage de Camus en 1938 au journalisme. C'est de plus l'époque de la littérature engagée; l'époque de l'écrivain-guide, du porteur de messages. Camus sait depuis l'adolescence qu'il est homme d'expression; il est en outre communiste comme les maîtres qu'il admire de loin, Malraux et Gide; il est antifasciste comme les républicains espagnols en guerre et comme toute cette équipe parisienne de l'hebdomadaire *Vendredi,* lequel a, auprès de la jeunesse intellectuelle algéroise, un incomparable prestige. C'est le Front populaire : la «jeunesse de la révolution», selon le mot de Guéhenno. André Chamson, Andrée Viollis, Louis Martin-Chauffier, Paul Nizan, Pierre Bost, accueillent chaque semaine dans *le Socialisme révolutionnaire* les articles de toute l'intelli-gentsia de gauche européenne. Malgré les réserves des maîtres d'Alger qui devaient devenir ses amis (les professeurs Jean Grenier, Jacques Heurgon et Jean Hytier) Camus prolonge dans les «Maisons de la Culture» d'Algérie l'élan de la métro-pole. La littérature à ce moment c'est le témoignage. Gide lit publiquement dans les rues de Paris des passages du *Sang noir,* de Louis Guilloux qui n'a pas eu le prix Goncourt. La revue *Commune,* dirigée par Aragon, se gausse des écrivains qui pré-tendent écrire pour eux-mêmes. Cocteau se fait peuple et Gide, encore lui, décide d'appeler «camarade» le Nathanaël des *Nourritures terrestres.*

Mais en Algérie à cette époque règne une presse coloniale qui réunit tout ce que Camus rejette : le racisme, la vulgarité intel-lectuelle, le despotisme capitaliste et la bonne conscience des bien-pensants. Un quotidien en particulier, *l'Écho d'Alger,* appa-raît comme un inexpugnable bastion et chacun attend que les jeunes Algérois imitent enfin les libéraux d'Oranie qui ont créé *Oran républicain.* C'est Pascal Pia, le futur directeur de *Combat,* le futur critique littéraire de *Carrefour,* qui fonde et dirige *Alger républicain* pour le bonheur de son ami Camus. C'est aussitôt alors, sur ce ton frémissant et concis qui fera plus tard sa gloire, le surgissement des premiers grands cris du futur éditorialiste de *Combat*. On retrouve déjà tout Camus, bien sûr, dans ses articles d'*Alger républicain*. On y retrouve même un destin. Il eut, très tôt, son «affaire Callas», qui fut celle du commis de ferme Hodent injustement emprisonné après la ténébreuse accusation d'un riche colon, son patron. Il faut s'y arrêter un moment car on y découvre déjà une éthique que l'on retrouvera plus tard lorsqu'il s'agira en 1957 de faire libérer des prisons d'Alger son ami Jean de Maisonseul[5] aujourd'hui conservateur du Musée national de la République algérienne. En effet, le scandale peut être payant en journalisme; et l'erreur judiciaire est un scandale vertueux. Il n'y a donc pas de mérite particulier à déclencher une «affaire» : on s'attire les foudres des puissants mais aussi la reconnaissance des lecteurs. Il y a mérite à la poursuivre au moment où l'on sait que les lecteurs s'en sont lassés. C'est là que s'administre la preuve que l'on recherche la réparation plutôt que l'éclat. Or on peut dire que c'est l'inlassable ardeur de Camus qui devait aboutir à la libération du commis Hodent, à un moment où les menaces

Le « *Soir républicain* » est suspendu

des uns s'ajoutaient à la résignation des autres. On ne peut pas non plus ne pas rappeler qu'à propos du cheik El Okbi, injustement accusé lui aussi d'avoir participé à l'assassinat du grand muphti d'Alger, Camus ouvrit véritablement la voie à tout ce qui devint, bien plus tard, le mouvement des libéraux anticolonialistes, mouvement dont il devait d'ailleurs

5. Cf. « Le Monde », juin 1957

se séparer pour la raison qu'on ne répare pas une injustice par une autre injustice. Mais enfin, et puisqu'il s'agit ici du « métier », notons que Camus fut le premier journaliste français dont le Gouvernement général de l'Algérie obtint le départ pour la métropole. Il fut dans le silence général et en temps de paix ce jeune et magnifique indésirable, le premier révolté d'un long drame. Et ce fut ensuite en 1940 la découverte de la presse française à *Paris-Soir* où il retrouva Pascal Pia et commença de se lier d'amitié avec un groupe de typographes qu'il a associés à tous les grands événements de sa vie.

« J'ai connu Albert Camus en 1940, raconte Lemoine, ex-typo à *Paris-Soir,* aujourd'hui correcteur au *Figaro.* C'était au mois d'août à Lyon. Avec *Paris-Soir* nous étions d'abord passés par Clermont-Ferrand, puis nous nous sommes transportés à Lyon. J'étais de service de nuit et Camus se trouvait aux mêmes heures que moi. On pouvait lui faire toutes les réflexions possibles à propos de la mise en page, lui faire observer que, techniquement, ce qu'il demandait était impossible, il était tout de suite d'accord et avec la plus extrême gentillesse. Il s'est marié au début de 1941. Nous étions quatre copains qui assistions à son mariage. Nous avons offert aux mariés un bouquet de violettes de Parme. »

Un autre, linotypiste, Lemaître : « Quand Camus est venu au marbre, on a vu d'emblée un rayon de soleil. C'était le copain enjoué, pas crâneur et tout de suite adapté au milieu. Nous avons eu l'impression de le connaître depuis des années. Constamment prêt à la blague, il était parmi nous un vrai boute-en-train. Quand nous avions des « à la... », il n'était pas le dernier à attaquer le refrain rituel ; et des chansons de corps de garde, il en avait un répertoire, pas à chanter en famille, bien sûr, mais bien réjouissantes. Où nous l'avons mieux apprécié encore, c'est le jour de son mariage. Cela m'avait remué, cette façon de se marier, tellement simple, avec pour cortège trois ou quatre typos. Quelle preuve d'amitié pour nous !... Nous savions qu'il adorait l'atmosphère de l'imprimerie. Il aimait se trouver devant des pages, des lignes de plomb. Il était mordu. Il est vrai que l'on y trouve une sorte de griserie : l'odeur de l'encre, du papier mouillé, on aime sentir ça comme le maroquinier aime sentir l'odeur du cuir. Camus était plus souvent au marbre qu'à la rédaction. L'image qui me reste de lui? Un camarade absolument parfait. »

Puis ce fut la constitution du *Combat* clandestin avec Albert Ollivier, Jean Bloch-Michel, Pascal Pia, Marcel Gimont, Georges Altschuler, et Jacqueline Bernard. C'est toute cette équipe que Raymond Aron, puis, épisodiquement, Sartre et Malraux rejoignirent à partir du 21 août 1944, date du premier et retentissant éditorial : « Le combat continue. » Les « anciens » du journal, il n'est pas rare de les entendre réciter par cœur ces quelques phrases :

« Aujourd'hui 21 août, au moment où nous paraissons, la Libération de Paris s'achève. Après cinquante mois d'occupation, de luttes et de sacrifices, Paris renaît au sentiment de la liberté, malgré les coups de feu qui soudain éclatent à un coin de rue. Mais il serait dangereux de recommencer à vivre dans l'illusion que la liberté due à l'individu lui est sans effort ni douleur accordée. La liberté se mérite et se conquiert (...) Nous n'aurons accompli qu'une infime partie de notre tâche si la République française se trouvait comme la IIIᵉ République sous la dépendance étroite de l'argent. »

Cet éditorial anonyme avait été écrit par Camus qui avait inspiré aussi un autre article intitulé : « De la Résistance à la Révolution », ce qui fut le sous-titre du journal. Cet article est à retenir non pas seulement pour rappeler les rêves de justice et de liberté des hommes de la Libération mais l'obsession qui était la leur de l'asservissement de la presse aux puissances d'argent. Pour rappeler aussi certains mots qui étaient loin de provoquer chez ces intellectuels le ricanement. *Combat* souhaitait que « surgisse de cinq années d'humiliation le jeune visage de la grandeur retrouvée ». Comment, en outre, ne pas retrouver Camus dans ces trois mots « notre justice, notre honneur, notre bonheur » ? Politiquement, *Combat* affirmait : « Nous pensons que toute politique qui se sépare de la classe ouvrière est vaine »,

et que « la France sera demain ce que sera sa classe ouvrière ».
Pour l'extérieur, *Combat* exigeait « la définition d'une politique
étrangère basée sur l'honneur et la fidélité à tous nos alliés.
C'était en somme l'affirmation de l'indépendance nationale et
de la démocratie ouvrière.
Le 24 août, on tire sur les soldats allemands isolés dans Paris.
Pour chacun, il n'y a aucun problème. D'une façon révélatrice,
Camus se sent obligé d'apporter une justification, prouvant
ainsi déjà l'angoisse que suscitait chez lui la violence même en
temps de guerre : « Une fois de plus la justice doit s'acheter
avec le sang des hommes. Les raisons de tirer sur les soldats
allemands ? Elles sont immenses car elles ont les dimensions
de l'espoir et la profondeur de la révolte. Personne ne peut
penser qu'une liberté conquise dans cette nuit et dans ce sang
aura le visage tranquille et domestiqué que certains se plaisent
à lui rêver. » Il faut faire attention à cette réflexion qui, par
ce qu'elle implique, annonce les grandes méditations de
Camus sur la violence. On les retrouvera dans la suite d'articles
intitulés « Ni victimes ni bourreaux » ; dans sa pièce de théâtre
les Justes; dans l'essai *l'Homme révolté* et aussi dans le choix de
l'adaptation française d'une pièce de Faulkner, *Requiem pour une
nonne.* De la réflexion sur le suicide à celle sur le meurtre,
Camus parcourt un itinéraire obsédant. Pendant toute la période
de la Résistance, il montre qu'il n'est pas objecteur de conscience
et que la paix n'est pas la valeur suprême, mais seulement
parce que l'espoir d'une « république dure et pure » est alors
intense et que de toute façon il s'agit de lutter contre les forces
de destruction. Alors la violence est, *à regret,* admise, mais
admise. Contre Mauriac, Camus la défend et justifie l'épuration : le prix à payer est horrible mais il faut l'accepter. Puis
dans le désenchantement progressif suscité par la dégradation
de l'idéal, s'élabore la thèse de la fin et des moyens, la haine
du crime idéologique ; enfin, après Hiroshima, Camus, dans
l'indifférence générale, proclame un révisionnisme dont
certains développements devaient devenir ceux du rapport
Khrouchtchev au XXᵉ Congrès du Parti communiste de l'Union

soviétique : « Et sans doute Marx n'a pas reculé en 1870 devant
l'éloge de la guerre dont il pensait qu'elle devait faire progresser par ses conséquences les mouvements d'émancipation.
Mais il s'agissait d'une guerre relativement économique et
Marx raisonnait en fonction
du fusil chassepot qui est une
arme d'écolier. Aujourd'hui
vous et moi savons que les
lendemains d'une guerre atomique sont inimaginables et
que parler de l'émancipation
humaine dans un monde
dévasté par une troisième
guerre mondiale a quelque
chose qui ressemble à une
provocation », écrit-il dans sa
première *Réponse à d'Astier
de La Vigerie,* parue dans *Caliban* (et reprise dans *Actuelles*).
Mais restons en 1944, pour
nous émerveiller que dix
jours après la fondation de

Emmanuel d'Astier de La Vigerie

Combat, Camus signait déjà une suite d'articles sur la presse,
sur la profession de journaliste. Quels sont les vices de la
presse, demandait-il dès le 31 août 1944, sinon « l'appétit
de l'argent et l'indifférence à la grandeur ». Or, affirmait-il,
« un pays vaut souvent ce que vaut sa presse ». On peut « élever
un pays en élevant son langage », en créant une « presse claire
et virile à la voix respectable », en choisissant « l'énergie plutôt
que la haine, la pure objectivité et non la rhétorique, l'humanité
et non la médiocrité ». Or Camus s'inquiétait dix jours après la
Libération, il fallait déjà le crier : « la presse libérée n'est pas
satisfaisante ». Pourquoi ? « On cherche à plaire plutôt qu'à
éclairer. » Pourtant « un journaliste est un homme qui d'abord
est censé avoir des idées ; ensuite un homme chargé de rensei-
gner le public sur les événements de la veille. Un historien au

jour le jour dont le premier souci est la vérité». Mais rien
n'est plus difficile, car les historiens, eux, ont le bénéfice du
recul, ce dont le journaliste est privé : aussi lui est-il imposé
plus qu'à tout autre, et s'il veut être objectif, des exigences
pénibles parce que sans éclat : la prudence, le relativisme, le
sang-froid. Toute nouvelle n'est pas bonne qui a les apparences
d'être la première, s'écrie Camus. C'est une véritable gageure.
Camus prétend mettre en garde les journalistes contre ce qui
fait leur religion : l'obsession du « ratage » et la recherche du
« scoop ». Il vaut mieux être les seconds à donner une information vraie que les premiers à publier une information fausse :
c'est sa réponse. Or, déjà, la presse de la Résistance sombre
dans toutes les anciennes ornières : «détails pittoresques»,
« mises en pages publicitaires », « appel à l'esprit de facilité et à
la sensiblerie ». Aux partisans de ces méthodes, Camus déclare :
«L'argument de défense est bien connu. On nous dit : c'est
cela que veut le public. Non le public ne veut pas cela. On lui
a appris pendant vingt ans à le vouloir, ce qui n'est pas la
même chose. Or, le public, lui aussi, a réfléchi pendant quatre
ans et il est prêt à prendre le ton de la vérité puisqu'il vient de
vivre une terrible épreuve de vérité; mais si vingt journaux
tous les jours de l'année soufflent autour de lui l'air même de
la médiocrité et de l'artifice, il respirera cet air et ne pourra
plus s'en passer. Une occasion unique nous est offerte au
contraire de créer un esprit public et de l'élever à la hauteur
du pays lui-même. Que pèsent en face de cela quelques sacrifices d'argent et de prestige, l'effort quotidien de réflexion et
de scrupules qui suffit pour garder sa tenue à un journal.»
En conclusion, le 8 septembre 1944, Camus donnait un nom à
sa conception journalistique : « l'information critique ». En quoi
elle consistait, on pouvait le voir tous les jours dans ce quotidien que les étudiants, les instituteurs, les intellectuels et les
syndicalistes s'arrachaient. D'abord une mise en page dont la
sobriété était sauvée de l'austérité par la savante utilisation des
titres et des caractères typographiques : classique mais non
académique, digne mais pleine de vie. La vertu à *Combat* n'était

point ennuyeuse, au contraire. Cela était aussi bien valable pour le fond que pour la forme, car l'indépendance des rédacteurs dans la critique et même l'iconoclastie de quelques jeunes turcs (comme Alexandre Astruc, Roger Grenier et Paul Bodin) compensaient largement les habituelles méthodes publicitaires. Le style adopté était volontiers celui des moralistes du XVIIIe siècle. Camus exigeait la concision, le sens de la formule, le trait percutant. A l'un des rédacteurs, trop lyrique, il déclara un jour : «Désormais inspirez-vous plutôt de Chamfort que de Chateaubriand.» Camus citait souvent en exemple la chronique théâtrale de Jacques Lemarchand (aujourd'hui critique au *Figaro littéraire*) dont les articles lui paraissaient des modèles du genre. Camus avait plusieurs recettes du même type. Pour définir un éditorial, il disait : «Une idée, deux exemples, trois feuillets.» Un reportage : «Des faits, de la couleur, des rapprochements.» A *Combat*, autour de Camus, on recherchait le raccourci, «la formule». Pour fuir la rhétorique, on n'en était certes pas moins littéraire : *Combat* fut d'ailleurs l'un des journaux les mieux écrits de la presse française, depuis qu'elle existe.

Ce qui frappait le plus dans les articles, c'était une pudeur élégante, un peu hautaine aussi. Manifestement le désir d'être à contre-courant s'affirmait comme un fécond défi. On le vit bien la semaine où s'étalèrent complaisamment dans la presse les exploits photographiés du fameux docteur Petiot, un émule de Landru. Devant ce tissu d'horreurs grand-guignolesques, *Combat* publia en première page une seule et unique information suivie d'un avertissement au lecteur annonçant qu'on ne trouverait plus rien désormais dans ce journal sur cette affaire. Après les horreurs des camps de concentration, l'exploitation d'un tel fait divers paraissait à Camus le comble de l'indécence. Les lecteurs avaient le choix : ou bien de partager les altières préventions de *Combat,* ou bien de changer de journal. Rien ne serait fait en tout cas pour les entraîner dans la vulgarité.

Longtemps après *Combat,* en 1955, Camus devait renouer avec le journalisme en collaborant régulièrement à *l'Express.* C'était la grande époque de ce journal. On pouvait rencontrer dans les couloirs Mendès-France, Mauriac et Malraux. Aux déjeuners de *l'Express,* les invités d'honneur étaient Merleau-Ponty, Levi-Strauss, Louis Armand, Ignazio Silone, Pietro Nenni, Aneurin Bevan, etc. Comme je n'ai pas été étranger à l'entrée de Camus à *l'Express,* j'ai le devoir d'admettre qu'il ne s'y est jamais trouvé vraiment à l'aise. Sans doute était-ce l'époque où Camus recherchait, et avec quelle angoisse, une position juste dans le drame algérien, et ce n'est pas mon dessein ici d'en traiter. Mais il faut bien avouer que ce n'était pas l'unique raison de son malaise. Il se résignait mal à certaines techniques publicitaires même au service d'une bonne cause. Il cherchait une doctrine là

François Mauriac

où il ne croyait trouver qu'impulsions et heureuses improvisations. Il était trop journaliste cependant pour ne pas trouver ses moments de joie : et je le revois, affectant de me soumettre un article qu'il venait de rédiger en toute hâte de son écriture ferme, fine et serrée après s'être enfermé dans un tout petit bureau. Mais il était aussi trop chef d'équipe, trop animateur de journal pour que tout ce à quoi il ne participait pas à *l'Express* ne lui suggère ce qu'il aurait eu envie de faire à la place des directeurs. Une certaine fraternité aussi, une certaine chaleur lui manquaient qu'on n'avait pas réussi à lui procurer. C'est pourtant à *l'Express* qu'il publia une méditation étrange et inspirée sur Mozart, comme pour se reposer de ses écrits politiques. Une méditation qui est un des plus beaux exemples de « chro-

nique », dans la véritable tradition du journalisme le plus noble.
Que reste-t-il aujourd'hui de Camus journaliste ? L'usage est
de retenir les grandes polémiques avec François Mauriac,
d'Astier de La Vigerie, André Breton, Gabriel Marcel et
Jean-Paul Sartre. Mais ce sont là œuvres d'écrivain et qui, en
d'autres temps, n'eussent
constitué qu'une correspon-
dance comme celle par
exemple entre Rousseau et
Diderot. Sans doute Camus
y donne-t-il la mesure de son
talent de pamphlétaire, de
son habileté dans la repartie
hautaine, un peu crispée, mais
presque toujours très bien
ajustée : on peut douter que
Camus ait eu le dessus dans
sa joute avec Sartre mais on
ne peut oublier la terrible
flèche : « Vous avez installé
votre fauteuil dans le sens
de l'Histoire. » Sans doute aussi
pourrait-on voir dans ces polé-

André Breton

miques l'inventaire des principes auxquels le journaliste en lui
s'est constamment référé. Mais rien, dans ces duels de grand
style, ne concerne l'essence du journalisme et l'apport de
Camus à cette essence. Ce qui reste de Camus, il faut le chercher ailleurs.
C'est d'abord une réponse au bouleversement des valeurs que
subit notre siècle. L'information critique, c'est l'effort passionné
dans une tentative qui exclut pourtant la passion et qui est le
relativisme, c'est-à-dire la franchise totale sur les limites de
l'observateur dans son appréhension du phénomène observé.
C'est l'effort pour créer un « fait journalistique », comme il y
a un fait scientifique, et donc l'établissement de règles en journalisme comme il y a en science des principes. C'est le respect

de ceux à qui on s'est chargé de transmettre le fait journalistique une fois défini. C'est l'adaptation, mais transparente, aux valeurs d'une société donnée. C'est une réponse modeste d'aspect, austère d'application et cependant d'une ambition démesurée. Cette réponse est-elle valable pour tous ? Camus n'était-il pas de ces élus qui ont eu à leur berceau toutes les fées, tous les dons ? Et, de ce fait, prenait-il les mêmes risques que sont contraints de prendre les autres ?

Tous ceux qui luttent, à leur manière, contre les méthodes publicitaires du capitalisme et la servilité imposée par le totalitarisme sont parfois tentés de se le demander. Aujourd'hui en particulier où l'on voit des grandes entreprises défendre une idée ou un homme comme on lance une marque de dentifrice ; où l'on voit, dans le « tiers-monde », en particulier, les hommes qui se sont battus pour les libertés transformer les journalistes en laquais. Mais quand bien même la *mission* aurait-elle été plus facile à Camus qu'à d'autres, c'est elle qu'il nous faut prolonger sous peine de *démission*. C'est ce qui reste de l'exemple donné par Camus.

Ce qui reste aussi c'est une image de Camus combattant pour cet épanouissement. On évoque alors le directeur de *Combat*, dans son trench-coat un peu gangster, promenant son personnage d'Humphrey Bogart japonais, intense et austère, chaleureux et tendu, sensuel et puritain. Il sort des bureaux du journal, entouré de jeunes confrères fatigués et attentifs, il fume cigarette sur cigarette ; après un long silence nourri de la pensée qu'il va falloir abandonner le journal, il trouve le sourire le plus fraternel, le plus contagieux, le plus délivrant et, entraînant son groupe vers une boîte de nuit, il dit : « Cela vaut la peine de se battre pour un métier pareil !... »

J. D.

SÉQUENCE II

La nuit allemande

Albert Camus à Bougival (hiver 1945-1946)

Entrevue de Montoire entre le maréchal Pétain et Hitler

A Montoire, le 24 octobre 1940, le maréchal Pétain rencontre pour la première fois Hitler. Le principe d'une collaboration est accepté et certains se plaisent à rêver d'une Europe régénérée. Le maréchal fait encore illusion à la majorité des Français qui, après la défaite-éclair, voient dans l'attentisme et le bon voisinage la seule chance de salut. En outre, le chef de l'État inspire la confiance et même la vénération : ce vieux guerrier couvert de gloire, ce héros de 14-18 ne saurait trahir la patrie. Bientôt, entraîné par Laval, le gouvernement de Vichy sera amené aux pires concessions.

t livré à l'ennemi   *la Résistance...*

L'appel du général de Gaulle

La France en 1940

Cependant de Londres, le 18 juin, le général de Gaulle lançait son appel : «L'honneur, le bon sens, l'intérêt de la patrie commandent à tous les Français libres de continuer le combat là où ils seront et comme ils pourront.» Le nord de la France étouffait sous la botte de l'ennemi, et les habitants de la zone non occupée, s'ils purent croire un moment que l'armistice préservait la liberté d'une partie du territoire, durent bientôt abandonner leurs espérances. Autour de l'idée de résistance qu'il incarnait, de Gaulle allait rapidement cristalliser les premiers mouvements d'opposition.

... et la presse clandestine maintiennent l'espoir.

combat

DÉCEMBRE 1941 · N° 1

Dans la guerre comme dans la paix le dernier mot est à ceux qui ne se rendent jamais. Clemenceau

APPEL

La rédaction de "Combat" présente aux Français le dernier-né des journaux clandestins. Dès le premier numéro, elle entend informer ses lecteurs des buts qu'elle poursuit et des moyens qu'elle emploiera. Sa position étant ainsi clairement définie, chaque Français pourra choisir : il sera avec ou contre nous. C'est avec ceux qui viendront à nous que nous mènerons le bon combat de la France pour la France. Nous voulons qu'à la défaite des armes succède la victoire de l'esprit.

En Octobre 1940, quatre mois après l'armistice, le Gouvernement a accepté le principe de la "collaboration". Cette politique qui a pu troubler un moment les esprits par les espoirs qu'elle a fait naître, aboutit aujourd'hui à des résultats qui sont parfaitement connus et qu'on pouvait prévoir.

Ces résultats, les voici :
- division territoriale et spirituelle de la France, par le maintien et le renforcement (en dépit des promesses) des 3 lignes de démarcation, amorce du futur démembrement de notre territoire.
- dépouillement systématique de notre malheureux pays par le rapt sous forme pseudo-légale de toutes nos richesses. La France affamée voit partir tous ses biens pour alimenter la machine de guerre allemande.
- abaissement du niveau de vie des travailleurs qui confine maintenant à l'extrême misère.
- destruction de notre monnaie par le paiement d'un tribut journalier hors de proportion avec les frais réels de l'armée d'occupation.
- main-mise par l'Allemagne sur l'économie française préparant une tutelle économique absolue et nous rayant ainsi de la liste des Grandes Puissances.
- Propagande dans nos colonies dont le statut sous la domination allemande est d'ores et déjà préparé.
- Asservissement ou dégradation de la pensée française à l'aide de la Presse et de la Radio dites Nationales.

Les agissements de l'Allemagne avant même le traité de paix sont trop clairs, ils sont trop conformes aux plans d'Hitler dans Mein Kampf, pour qu'on puisse s'y méprendre et persévérer dans des espoirs que la réalité infirme chaque jour. Par des étapes savamment dosées, l'Allemagne hitlérienne mène la France non seulement à la servitude, mais, ce qui est plus grave, à la servilité.

La France est en voie de perdre à la fois son corps et son âme. Le bon sens français le présent. En dépit de la propagande asservie, de la surveillance policière renforcée ; des emprisonnements et des fusillades, le peuple français se refuse dans son immense majorité à favoriser sa propre destruction. Il n'est plus pour collaborer que des imbéciles, des lâches, des traîtres.

Le Journal "Combat" appelle les Français à la lutte. Il les convie à s'unir pour vaincre l'esprit de soumission et préparer l'appel aux armes.

Notre combat sera mené contre l'Allemagne d'abord, mais aussi contre quiconque pactisera avec elle et, consciemment ou non, se fera son auxiliaire dans notre malheur.

Il lance un appel particulier aux ouvriers et aux paysans plus durement frappés que quiconque et dont le vigoureux bon sens, l'esprit de résistance sont le meilleur gage du salut.

Toutes les énergies françaises, jusqu'à ce jour dispersées et sans appui, doivent se grouper autour de nous. Nous invitons tous nos lecteurs, citadins et paysans, intellectuels et manuels, chrétiens ou non, à s'unir dans cette entreprise dont dépend le salut du pays. Ils doivent tous sentir leur appartenance à ce vaste Mouvement que nous avons l'ambition de créer, en accepter les disciplines et obéir à ses mots d'ordre.

Nous demandons que l'esprit partisan se taise pour faire place à l'unité absolue entre ceux qui hier encore étaient politiquement divisés.

Une petite minorité empêche la France de faire entendre sa voix et d'exprimer sa volonté. C'en est assez. Il faut montrer à nous-mêmes et au monde que notre Patrie reste fidèle à ses traditions d'honneur et de liberté. Nous combattrons par la parole et l'exemple en attendant de pouvoir reprendre les armes.

La croisade européenne contre le nazisme s'organise. Hollandais, Belges, Norvégiens, Polonais, Tchèques, Serbes, Grecs fourbissent leurs armes. Nous voulons être à leurs côtés.

"L'armistice n'est pas la paix" disait en juin dernier l'Amiral Darlan. Dieu merci ! car notre sort n'est pas encore fixé et c'est pourquoi nous voulons combattre.

La meilleure de nos armes est notre Foi. Nous croyons à la France, celle de Jeanne la Pucelle jusqu'à celle du Poilu de 1914 celui dont l'histoire vient d'être supprimée des manuels scolaires car il faudrait oublier que nous avons vaincu.

Notre arme aussi est la Vérité. Les mensonges des plus insidieux aux plus grossiers s'étalent sur nos murs et remplissent les journaux et la radio. Nous lutterons contre l'anesthésie du peuple français.

Certains vont se demander si la nécessité de "Combat" se faisait bien sentir, car d'autres journaux clandestins se proposent, semble-t-il, le même but que le nôtre. Certes, nous ne méconnaissons pas le mérite des ouvriers de la première heure et rendons hommage à leur courage qui les a parfois menés au martyre. Mais ces journaux représentent des tendances diverses, ils s'adressent à des milieux particuliers, ils sont différents en zone libre et en zone occupée, ils n'atteignent qu'un petit nombre de la population française. En un mot, ils n'ont pas réalisé l'union.

Nous, rédacteurs de ce journal, avons patiemment attendu d'avoir réuni les moyens de toute nature qui nous permettent d'offrir maintenant à nos compatriotes un journal aux informations précises puisées aux meilleures sources, accessible à tous et qui sera diffusé de Brest à Nice et de Dunkerque à Bayonne. Le chiffre de notre tirage nous classe

Combat, n° 1

Le premier numéro du journal « Combat » peut être pris pour symbole de l'active presse clandestine — on recense plus d'un millier de titres pendant l'occupation — qui appelle les patriotes à continuer la lutte. « Combat » devient l'organe et le nom de l'un des principaux mouvements de la Résistance, organisé par Henri Frenay et François de Menthon : dès le départ, il comptait une brillante équipe de rédaction qui assura son retentissement : Bidault, Teitgen, Roure, Bourdet; Pascal Pia en deviendra le rédacteur en chef en 1943; Camus lui succédera au moment où le journal sortira de la clandestinité.

Camus à la terrasse du Flore (1947)

« *C'est notre plus pur espri*

Exécution de résistants

ue vous fusillez tous les jours. »

Liste d'otages fusillés (16 septembre 1941)

« Le malheur est que la guerre sans uniforme n'avait pas la terrible justice de la guerre tout court. Les balles du front frappent n'importe qui, le meilleur et le pire. Mais (...) ce sont les meilleurs qui se sont désignés et qui sont tombés, ce sont les meilleurs qui ont gagné le droit de parler et perdu le pouvoir de le faire. » Les exécutions sommaires, les meurtres d'otages innocents se succèdent. Camus décide d'entrer dans la lutte. *« Je me souviens très bien du jour où la vague de révolte qui m'habitait a atteint son sommet. C'était un matin à Lyon et je lisais dans le journal l'exécution de Gabriel Péri. »* La colère désormais s'ajoutera au devoir de lutter, une colère sans haine mais sans pitié. *« Parmi les raisons que nous avons de vous combattre,* écrira Camus dans les *« Lettres à un ami allemand »*, *il n'en est peut-être pas de plus profonde que la conscience où nous sommes d'avoir été non seulement mutilés dans notre pays, frappés dans notre chair la plus vive, mais encore dépouillés de nos plus belles images. »* Ce n'est pas contre l'Allemagne mais contre Hitler que Camus va engager le combat.

Le ravitaillement des maquisards par les paysans

L'organisation des maquis

Des petits groupes de partisans s'organisent dans toute la France. Avec l'envahissement de la zone sud par les Allemands et la création du travail obligatoire, les hommes affluent dans les maquis. L'armée secrète, composée de pelotons de trente combattants subdivisés en cinq sections, n'a aucune peine à recruter ses adhérents. Les francs-tireurs effectuent des coups de main spectaculaires. Bientôt les Forces françaises de l'Intérieur viendront coiffer ces organisations. Dans le nord, l'action est essentiellement militaire, dans la zone libre les résistants sont davantage préoccupés par l'avenir politique de la France.

a violence que les institutions de la violence. »

Sabotage d'une voie ferrée

Le sabotage reste pendant longtemps la seule arme et la plus efficace de cette guérilla. Pour soutenir les troupes de choc et amplifier la portée de leur action, un service d'information et de propagande se développe où Camus aura sa place. En 1941, des raisons de santé l'ont contraint à regagner la métropole ; il s'y est trouvé bloqué par le débarquement d'Afrique du Nord. Bien que Camus ait été très discret à ce sujet, il semble que ce soit par l'intermédiaire de Pascal Pia et du poète René Leynaud, qu'il ait été intégré au Mouvement de libération nationale, dans le futur réseau Combat.

*« L'homme
doit affirmer
la justice pour lutter
contre
l'injustice éternelle. »*

*« L'État de siège » transpose sur
les planches le thème de « la
Peste », conçu pendant les années
noires. L'épigraphe nous invitait
à déchiffrer, sous le voile de l'allégorie, une autre forme d'oppression, celle de la France par Hitler,
et à interpréter la conduite de
chaque personnage en termes de
résistance ou de collaboration.
Villes heureuses, Oran dans « la
Peste », Cadix dans « l'État de
siège » vivent dans l'oubli de la
Mort. Quand elle viendra dans le
roman sous la forme d'une épidémie, dans la pièce sous les traits
d'un tyran qui instaure une terreur bureaucratique, les hommes
n'y réagiront d'abord que par la
peur. Mais qu'un seul d'entre eux
se révolte et défie la Mort, alors le
salut de tous s'organise. La lutte
contre la tyrannie, contre l'Absurde, contre le scandale de la
mort dans un monde vide de
Dieu, et la solidarité humaine
peuvent triompher. Grande et
amère victoire cependant qui laisse
dans le cœur des hommes des stigmates ineffaçables et rend leur
bonheur douloureusement précieux.*

Scène de « l'État de siège ».
Mise en scène de J.-L. Barrault (1948)

Albert Camus

CHAPITRE IV

Le combat
contre
les mandarins

PAR PIERRE-HENRI SIMON
de l'Académie française

Lue fragment par fragment et volume après volume,
aucune œuvre ne paraît plus claire que celle d'Albert
Camus. C'est même par cette clarté qu'elle s'est imposée
d'abord, dans *Noces*, dans *l'Étranger*. Clarté qui parut agréable-
ment paradoxale dans l'école où, non sans quelque malentendu,
la critique et le public voulurent classer cet écrivain, reconnu
comme « existentialiste » : s'agissant de traduire une idée de la
condition humaine qui en soulignait l'incohérence et l'irratio-
nalité, et une vue du monde qui en découvrait la contingence
et l'absurdité, l'artiste, dans son cas, ne s'obligeait point à corres-
pondre au philosophe en cassant la syntaxe, en brouillant le
vocabulaire, en peignant épais et noir ; il usait, au contraire,
d'une phrase d'analyse, courte et nette, dans la tradition du
XVIIIᵉ siècle ; et ce qu'il y mettait de lyrisme était toujours élé-

gamment freiné, tourné d'ailleurs vers la poésie méditerranéenne de la lumière crue, non vers le néo-romantisme du demi-
jour blafard et de l'ombre triste. Nous n'y sommes plus trompés
aujourd'hui : il y avait déjà, dans cette distance du style à la
pensée, une complexité qui concernait la pensée elle-même, et
qui créait, pour chaque paragraphe, pour chaque ouvrage,
sous l'apparence du simple et du clair, des difficultés d'inter-
prétation ; et l'ambiguïté s'accentue quand on considère dans
son ensemble une œuvre où l'esprit ne cesse de se mouvoir
entre des pôles contraires, où la violence frémit sous la modé-
ration, où le consentement dialogue avec la révolte, où la curiosité du romancier pour les êtres corrige les vues simplificatrices
de l'essayiste jouant avec les idées, où l'humour intervient secrètement pour suggérer des limites et des marges autour de ce
qui paraît logiquement déduit ou passionnément affirmé.
J'incline aujourd'hui à penser que la dimension la plus constante de l'œuvre de Camus est une haute intention d'art. Il
l'a dit dans le discours de Stockholm, en des termes qui valent
d'être médités : « Je ne puis vivre personnellement sans mon
art. L'art n'est pas à mes yeux une réjouissance solitaire. Il
est le moyen d'émouvoir le plus grand nombre d'hommes en
leur offrant une image privilégiée des souffrances et des joies
communes. » Ce qui revient à dire que l'écrivain ne peut se
détacher de l'amour du style, mais aussi que le style n'est pas
fin en soi et satisfaction d'égotisme : tout au contraire, instrument de communication totale et parfaite, langage du secret
et du dialogue profond. Le style de *Noces*, poème dionysiaque
des nourritures terrestres, a d'autres harmonies, plus larges
et plus romantiques, que celui du *Mythe de Sisyphe*, plus sec et
plus dense. La syntaxe de *l'Étranger*, drame de la solitude, aura
quelque chose de plus incohérent, de plus brisé en petites
phrases fixant chacune un événement isolé dans un verbe au
passé composé, que celle de *la Peste*, épopée de la solidarité
retrouvée et d'une morale positive découverte, où la pensée
s'organise en périodes, élargit les faits en symboles, donne à
l'aventure historique un sens intemporel. *L'Homme révolté,*

discours d'une résignation lucide, appellera les images lumineuses de la Grèce classique ; au lieu qu'il faudra, pour cette décomposition d'une conscience humaniste que raconte *la Chute,* les crépuscules laiteux du Zuyderzee et toute une savante rhétorique de l'indécis.

Camus vaut donc, et ceux qui lui refusent d'autres mérites l'admettent, par son écriture ; mais son écriture vaut, en vérité, par le relief et l'éclairage qu'elle donne aux mouvements d'une pensée inquiète et chercheuse, accordée étonnamment aux questions et aux aspirations d'une époque, liée à une expérience d'homme honnêtement assumée. Je veux bien que cette pensée ne s'impose ni par une originalité transcendante, ni par les fondations d'une culture exceptionnelle, ni par l'ampleur encyclopédique ou la vigueur systématique d'une synthèse ; du moins a-t-elle ce signe de grandeur et de vitalité d'être en tension entre des pôles contraires, ce qui est d'habitude une condition favorable de fécondité dialectique et de puissance dramatique. Dès les premiers efforts de Camus pour réfléchir et s'exprimer, le conflit s'est trouvé posé d'un « *envers* » de l'existence, qui appelle l'angoisse et la révolte, et d'un « *endroit* » qui la justifie.

On pourrait croire d'abord que cet envers et cet endroit s'opposent comme la société et la nature, le mal venant à l'homme de ce qui lui est imposé par sa condition d'être historique et politique, froissé par la dureté des lois et par l'orgueil des maîtres, et la source de son bonheur étant dans l'épanouissement pur et droit de son animalité innocente. Il semble qu'il en va ainsi au niveau de *Noces* et de *l'Étranger,* bien que le conflit y soit déjà posé en termes moins simples. D'une part, l'élève de Jean Grenier, affronté de bonne heure à l'humanisme classique, à la sagesse de la pensée grecque, à la beauté des villes italiennes, a compris que la civilisation offre une espèce de bonheur d'une qualité raffinée dans la jouissance des fruits de l'ordre et de l'art, de sorte qu'il y a, de ce côté aussi, un endroit précieux de l'existence ; et d'autre part, le jeune sensuel extasié parmi les belles nourritures de la terre, a vu qu'il n'était pas un dieu, mais un homme, c'est-à-dire un animal destiné à mourir, et qui le sait ; de sorte que sa condition naturelle aussi a un envers, et suffirait à le rendre anxieux. Meursault, l'étranger parmi les hommes, condamné à mort pour des motifs qu'il ne comprend pas et criant sa révolte contre la société, trouvera sans doute une certaine consolation dans «la tendre indifférence du monde», mais cette formule heureusement contradictoire dit bien l'enveloppement de l'homme par un cosmos à la fois amical et cruel. Ainsi, la conscience lucide se découvre heureuse et malheureuse dans la nature comme dans la société ; et nulle part n'est évitable, pour l'homme camusien, le conflit dialectique d'une sagesse qui est consentement et d'une vertu qui est révolte. Aussi bien, le conflit entre ces deux forces est-il, en définitive, le dynamisme constant de l'œuvre. Parce que l'accent, dans les premiers ouvrages — *Noces, Caligula, le Malentendu, l'Étranger* — est mis sur l'héroïsme du réfractaire en un monde et en une histoire où la raison ni le cœur n'ont lieu d'être satisfaits, et parce

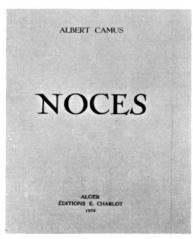

Couverture de l'édition originale de « Noces »

qu'après le tournant du *Mythe de Sisyphe* et des *Lettres à un ami allemand*, il s'est déplacé, dans *la Peste, les Justes* et *l'Homme révolté*, sur l'action efficace de l'individu qui a découvert le fait de la solidarité et l'astre de la justice, on est enclin à penser qu'il y eut une conversion de Camus à l'optimisme et à l'humain. Il y eut certes une évolution de la vision absurde au discours raisonnable, du désespoir à l'espérance et du naturisme à l'humanisme ; mais elle ne se traduit pas autrement que par un déplacement d'accent, mis avec plus ou moins de force sur un terme ou sur l'autre, la tension ayant toujours existé. Ni le *oui* sans *non* du conservateur social ou religieux, ni le *non* sans *oui* du réfractaire inconciliable ne définissent aux yeux de Camus une attitude humaine acceptable. « Chaque fois que la révolte déifie le refus total de ce qui est, le *non* absolu, lisait-on déjà dans *le Mythe de Sisyphe,* elle tue. Chaque fois qu'elle accepte aveuglément ce qui est, et qu'elle crie le *oui* absolu, elle tue. Dans les deux cas, elle débouche sur le meurtre et perd le droit d'être appelée révolte. »

Rien n'importe donc plus que de tenir les deux bouts de la chaîne ; et c'est à coup sûr l'erreur d'une certaine gauche camusienne d'arrêter l'œuvre à sa phase négative et désespérée : comme si n'y devaient compter que les thèses nihilistes des premiers ouvrages, et comme si, à partir de *la Peste,* Camus n'avait plus fait qu'avancer dans la déviation humaniste et réformiste qui allait lui concilier la faveur des publics bourgeois et le conduire aux honneurs avantageux du prix Nobel. Un artiste, comme une personne, doit être compris et aimé dans sa totalité indivisible. Pas plus qu'on n'aurait le droit de réduire Gide à une nostalgie du Christ ou à une ivresse dionysiaque et de laisser couvrir une voix par l'autre dans son dialogue intérieur, on ne peut envelopper tout Camus ou dans le lyrisme de la révolte suicidaire, ou dans le cantique de la résignation active : sa symphonie est faite des variations et des croisements de ces thèmes. Il l'a dit d'ailleurs dans *l'Été* par une de ces images exactement suggestives dont il a le secret : « Que puis-je désirer d'autre que de ne rien exclure et d'apprendre à tresser de fil blanc et de fil noir une même corde tendue à se rompre ? » Tout est dit ici : le contraste de la joie et du désespoir, du rationnel et de l'absurde, du *oui* et du *non,* du clair et de l'obscur, et la tension qui en résulte pour donner à l'œuvre cette vibration particulière, ce don de toucher et d'émouvoir qui suppose presque toujours une âme déchirée.

Albert Camus a figuré, dans les années 40, un des chefs de file de l'existentialisme. Et l'existentialisme, dans le vocabulaire de la critique et du public lettré, a coïncidé avec la doctrine de Sartre, dont les grandes dimensions étaient l'athéisme, le scepticisme fondamental sur la nature de l'homme, le refus des valeurs et des institutions bourgeoises. Il y avait bien des approximations et des malentendus en tout cela. Tâchons d'y regarder d'un peu près.

Un des premiers textes que nous connaissions de Camus — il dut être écrit en 1938 pour *Alger républicain* — était une recension de *la Nausée;* Camus y reprochait à Sartre de partir de la laideur et de l'horreur pour fonder le tragique, qu'il voyait, lui, dans le conflit de la beauté et de la mort. C'était, plus encore qu'une opposition des doctrines, une opposition des tempéraments; mais elle était fondamentale. D'une façon assez paradoxale, l'existentialisme de Sartre est apparu d'abord comme fondé sur une malédiction de l'existence; malédiction probablement plus théorique que réelle, car son envie de vomir la vie n'est pas constante, il connut aussi la frénésie de jouir du monde et des êtres et il a eu faim de bonheur; mais son attitude intellectuelle reste accentuée par un pessimisme qui le conduit à voir partout le sordide, le visqueux, l'obscène. Rien de tel chez Camus; dès les grandes pages lyriques de *Noces,* s'affirme une action de grâces à la vie qui court à travers toute l'œuvre et se théorise en une morale du bonheur. Que l'homme soit fait pour être heureux; que la sagesse soit l'art du bonheur et, comme telle, qu'elle ait le pas sur l'héroïsme; qu'enfin le règne de la justice doive se traduire par un « être-heureux-ensemble », dans la fin des aliénations et des réprobations, voilà encore une tendance constante de la pensée de Camus; il est facile de comprendre qu'elle allait chez lui transformer l'existentialisme, chez Sartre vision tragique d'un monde contingent et absurde, en un rationalisme organisateur, accentué par une confiance optimiste.

Sur l'indépendance de Camus à l'égard de Sartre, nous avons son propre témoignage. Il ne l'a rencontré qu'en 1944, alors que les grandes directions de son œuvre étaient déjà indiquées ou préconçues, et il écrivait à ce propos dans ses *Carnets,* le 15 novembre 1945 : « Non, je ne suis pas existentialiste. Sartre et moi nous étonnons toujours de voir nos deux noms associés. Nous pensons même publier un jour une petite annonce où les soussignés affirmeront n'avoir rien en commun et se refuseront à répondre des dettes qu'ils pourraient contracter respectivement. Car, enfin, c'est une plaisanterie. Sartre et moi avons publié tous nos livres sans exception avant de nous connaître. Quand nous nous sommes connus, ce fut pour constater nos différences. » Les différences, en effet, étaient considérables, et l'hypothèse d'une influence subie originellement par Camus devait être exclue ; cependant, le fait n'est pas contestable d'une analogie des positions philosophiques au départ, et il est probable qu'entre 1942 et 1950 au moins, un certain dialogue, plus ou moins souterrain, a existé entre l'auteur du *Mythe de Sisyphe*, de *Caligula* et des *Justes*, et celui des *Chemins de la liberté*, de *Huis clos* et des *Mains sales*. Impossible, en tout cas, d'accorder à Camus son autonomie absolue à l'égard de ce qu'on a appelé en ces années-là l'existentialisme. Prise de conscience lucide et brutale de l'horreur de la condition humaine ; passage par le désespoir et recours au sentiment de

Jean-Paul Sartre

la liberté pour en sortir ; volonté d'échapper à l'anarchie par une éthique et une politique en dehors de l'ordre bourgeois et de l'ordre chrétien ; défiance nietzschéenne à l'égard de tout absolu perturbateur de la conscience et de tout succédané de l'idée de Dieu, et appel à la solidarité comme seule valeur sociale positive : tout cela fut d'abord commun à Sartre et à Camus. Ce furent, je le répète, des incompatibilités de tempérament plus encore que des oppositions doctrinales qui les ont naturellement conduits à infléchir leurs existentialismes dans des directions de plus en plus divergentes : Sartre s'éloignant toujours davantage de l'humanisme traditionnel, réputé bourgeois, et se fixant dans la phase négative d'un progressisme infécond, acrimonieux et aujourd'hui désespéré, et Camus ralliant au contraire la ligne des moralistes classiques, dénonçant toute alliance avec le communisme totalitaire et optant pour le réformisme socialiste.

C'est dans *le Mythe de Sisyphe,* écrit après *l'Étranger* mais publié dans la même année 1942, qu'il faut chercher le premier virage de la pensée de Camus. Quand il écrira, dans le texte déjà cité du 15 novembre 1945, que *le Mythe de Sisyphe* « était dirigé contre les philosophes dits existentialistes », il simplifiera trop les choses ; sans doute y a-t-il pris parti contre Kierkegaard et Chestov, qui ont fondé sur la reconnaissance de l'irrationnel et du paradoxe le recours en Dieu, mais il y a loué Nietzsche d'avoir proclamé la mort de Dieu et préféré au mythe de la vie éternelle le culte de « l'éternelle vivacité »; il y a exalté Don Juan, le comédien, l'aventurier, tous les grands multiplicateurs de l'existence acceptée comme un jeu gratuit ; et, en somme, cherchant à justifier la vie dans un monde absurde, il n'a pas contesté l'hypothèse fondamentale de cette absurdité.
Cependant, il reste vrai que *le Mythe de Sisyphe* traduit la première velléité de retour à un humanisme positif. Y est d'abord remarquable la notion « d'homme absurde » ; cette expression, fréquente dans l'essai, ne signifie pas l'homme insensé, mais au contraire l'homme assez raisonnable pour avoir reconnu le non-sens du monde. Cette vue négative, et la révolte qu'elle produit, ne sont en effet pensables qu'à partir d'une idée positive et d'une exigence de l'esprit : « Je disais que le monde est absurde, écrit Camus, et j'allais trop vite : le monde en lui-même n'est pas raisonnable, c'est tout ce qu'on peut en dire. Mais, ce qui est absurde, c'est la confrontation de cet irrationnel

et de ce désir éperdu de clarté dont l'appel résonne au plus profond de l'homme. L'absurde dépend autant de l'homme que du monde.» Ce qui revient à dire que l'absurde est la loi du monde et le scandale de l'esprit, parce que la loi de l'esprit est la raison; d'où il faut bien conclure à une transcendance de l'esprit. Il est possible que Dieu soit mort, mais il ne s'ensuit pas que l'homme soit immergé tout entier dans une existence dépourvue d'orientation préalable : l'esprit vit dans l'homme, et exige un sens. Bien mieux, cette raison en lui qui s'irrite de reconnaître le désordre autour de lui, n'est pas dépourvue de toute efficacité pour le corriger : «Il est vain de nier absolument la raison. Elle a son ordre dans lequel elle est efficace. C'est justement celui de l'expérience humaine.» Sans doute cette efficacité est-elle «limitée» et l'irrationnel est-il toujours «renaissant» : le rocher de Sisyphe finit toujours par retomber; mais «la lutte vers les sommets suffit à remplir un cœur d'homme. Il faut imaginer Sisyphe heureux.» Nous voici donc parvenus au niveau d'un stoïcisme relativement réconcilié, mais pessimiste encore en ce qu'il condamne l'homme à une action finalement stérile dans un univers et dans une histoire dont la tension — le *tonos*, disaient les stoïciens — n'est pas juste.

Les *Lettres à un ami allemand,* en 1943 et 1944, vont marquer un important progrès dialectique. Il faut bien comprendre alors ce qui se passe : Camus est engagé dans la Résistance. Quiconque, croyant au bonheur, prend un risque de mourir, et surtout celui d'appeler ou de causer la mort des autres, a besoin, pour exclure de sa conscience l'absurdité qu'il souffre de voir dans le monde, de justifier sa cause. Le *Mythe de Sisyphe* réhabilitait l'action, mais dans un climat de dilettantisme qui n'était pas sans rappeler le «service inutile» de Montherlant ou le « défi à la mort » des aventuriers nietzschéens du premier Malraux. La sagesse classique de Camus ne pouvait se fixer sur cette attitude romantique où ne l'appelait que la part «castillane» de son génie : il ne s'agit donc plus, pour lui, de la hautaine diversion qu'un jeune héros peut se donner en se battant pour les causes inutiles ou perdues, mais de l'intime satisfaction de servir une cause juste. Au point de départ, l'homme absurde et le nazi sont consanguins, fraternels : ils ont reconnu la déraison du monde, mais, écrit Camus à l'ami allemand : « J'en ai tiré d'autres conclusions... Vous en avez conclu que l'homme n'était rien et qu'on pouvait tuer son âme (...) Où était la différence ? C'est que vous acceptiez légèrement de désespérer et que je n'y ai jamais consenti. C'est que vous admettiez assez l'injustice de notre condition pour vous résoudre à y ajouter, tandis qu'il m'apparaissait au contraire que l'homme devait affirmer la justice pour lutter contre l'injustice éternelle, créer du bonheur pour protester contre l'univers du malheur... Pour tout dire, vous avez choisi l'injustice, vous vous êtes mis avec les dieux... J'ai choisi la justice au contraire, pour rester fidèle à la terre... Qu'est-ce que sauver l'homme ? C'est donner ses chances à la justice qu'il est seul à concevoir. » Nous voici loin au-delà d'un naturisme qui exaltait la «nature sans hommes» et semblait vouloir réduire la sagesse à l'innocence animale ; au-delà d'un nietzschéisme qui jouait les chances de l'homme sur une liberté de jeu et d'ivresse ; au-delà même d'un stoïcisme qui opposait à l'absurdité du monde l'exercice gratuit d'une volonté rationnelle. Maintenant, l'absurdité du monde s'appelle injustice, l'exigence de l'esprit s'appelle justice, et c'est la conscience de l'homme qui donne un sens à l'aventure du cosmos et à l'histoire de l'espèce. Une telle philosophie est proprement un humanisme.

La Peste va donner de cet humanisme camusien l'expression la plus précise, la plus rassurante pour un large public imprégné de culture traditionnelle. La peste étant le symbole du mal — un symbole polyvalent qui suggère aussi bien le mal historique, la destruction d'une cité par quelque invasion de violence, la peste brune du nazisme, que le mal naturel, le poids de la fatalité sur l'homme, la souffrance, la mort — la première intention de Camus, consignée dans ses Carnets en août 1942, était de montrer « l'équivalence profonde des points de vue individuels devant l'absurde » ; mais l'exécution de l'œuvre le conduisit, au contraire, à constater qu'il y a «des conduites qui valent mieux que d'autres », et à trouver «des raisonnements pour les justifier». Seront condamnés ou ridiculisés les méchants ou les pervers qui s'accordent au règne du mal, comme Cottard, ou ne savent inventer que des actes absurdes pour se divertir de l'absurde, comme le malade qui fait passer les pois d'une marmite dans une autre ou le vieux qui attire les chats pour cracher dessus. Condamnés aussi les chrétiens, et dans tous les cas, soit que, comme le P. Paneloux dans sa première attitude, ils se résignent passivement au malheur, considéré comme la punition méritée du péché, soit que, comme le même Paneloux quand sa conscience a été bouleversée par le scandale de la mort d'un enfant, ils se jettent dans le tragique du paradoxe kierkegaardien et de la folie de la Croix, adorant encore un Dieu qui les abandonne. Condamnés, mais avec plus d'indulgence, ceux qui cherchent les divertissements de l'art; de ceux-là Joseph Grand, qui par scrupule de perfection ne sort pas de la première phrase de son livre, incarne en caricature l'héroïsme estimable — un héroïsme, précisera Camus, qui n'a droit qu'à la seconde place, «juste après, et jamais avant l'exigence du bonheur». Parce qu'il poursuit la plénitude du bonheur dans un grand amour, Rambert est d'abord justifié de chercher à fuir Oran pour le rejoindre; cependant, à l'instant où sa fuite va devenir possible, il rentre dans la ville pestiférée pour reprendre son poste dans la lutte contre le mal : ainsi, représente-t-il, à côté de Rieux et de Tarrou, l'attitude excellement humaine de la créature raisonnable et libre dans un univers absurde.

Rieux n'est ni un héros ni un saint : c'est un médecin, possesseur d'une technique rationnelle qui lui fournit des armes contre le mal, et c'est un homme qui a trouvé dans son cœur l'instinct de pitié et de communion qui lui rend insupportable le spectacle de la souffrance des autres. Tarrou porte les mêmes sentiments à une température spirituelle plus haute : c'est un disciple tolstoïen de la non-violence, un athée qui voudrait être un saint. Les rapports de Tarrou et de Rieux dans *la Peste* sont

analogues à ceux de Salavin et de Laurent Pasquier dans l'œuvre
de Duhamel; ce sont des humanistes purs, en ce que toute
idée chrétienne de rédemption, de médiation surnaturelle
est absente de leur esprit, et qu'ils entendent bien que le salut
de l'homme ne dépende que de l'homme; mais leur humanisme
peut s'accentuer, dans son inspiration et son style éthique, ou
de mysticisme ou de positivisme. Dans les deux cas, il est orienté
et animé par la découverte de la solidarité des hommes dans le
malheur, dans l'espérance et le courage. Sisyphe ne lutte plus
seul, voilà le point où se marque le progrès dialectique de *la
Peste*. Quand, en 1955, abusant du droit qu'un critique a de pousser le paradoxe au contresens, M. Roland Barthes affirma que
la Peste fondait une morale d'évasion de l'histoire et une politique de l'individu solitaire, Camus protesta avec une véhémence
convaincante :
« Comparée à *l'Étranger*, écrivit-il, *la Peste* marque sans discussion possible, le passage d'une attitude de révolte solitaire
à la reconnaissance d'une communauté dont il faut partager
les luttes.
S'il y a évolution de *l'Étranger* à *la Peste* elle est faite dans le
sens de la solidarité et de la participation. » En vérité, ce que
la critique de gauche pouvait, dans une certaine conformité
à sa propre mystique, reprocher à *la Peste,* c'est l'absence
de l'utopie : rien qui ressemble ici à une prophétie du bonheur immuable et absolu; la philosophie hellénique ou nietzschéenne de l'éternel retour est beaucoup plus proche que
le mythe rationaliste du progrès indéfini ou du royaume
de l'homme : «Rieux savait ce que cette foule en joie ignorait
(...), que le bacille de la peste ne meurt ni ne disparaît jamais...
que, peut-être, le jour viendrait où, pour le malheur et l'enseignement des hommes, la peste réveillerait ses rats et les enverrait
mourir dans une cité heureuse. »
Même si ce n'est plus un héros solitaire mais une équipe
d'hommes, liés par l'espérance et l'amitié, qui le repousse, le
rocher de Sisyphe retombera encore; le bonheur des sociétés,
comme celui des individus, n'est qu'une rémission dans le

malheur, et cela suffit à le rendre sacré; mais il n'y a pas de salut définitif dans ni par l'Histoire. La vision de Camus, en somme, restait tragique, et si sa morale excluait le désespoir, c'était en misant sur le courage de l'homme plus que sur la confiance dans l'Histoire; en quoi il tournait le dos au marxisme.

Ce que *la Peste* avait été à *l'Étranger* dans la suite des récits, *les Justes* devaient l'être, dans le théâtre, à *Caligula*, cependant que sur la ligne des essais, *l'Homme révolté*, en 1951, allait marquer le même dépassement par rapport au *Mythe de Sisyphe*. Mais on peut dire, d'une manière générale, que *l'Homme révolté* représente l'effort le plus systématique et le plus doctrinal de Camus pour situer sa position. Et sans doute la révolte était bien collée au titre, ce qui impliquait une continuité avec le point de départ dans la dialectique de l'absurde; mais, paradoxe qui fut reproché à l'auteur et qui, avouons-le, enlève à l'ouvrage une certaine consistance, l'apologie de la révolte allait aboutir à la justification du consentement, à l'option pour la mesure grecque, pour l'ordre classique, pour le réformisme politique. La rupture n'était pas seulement marquée avec le communisme, mais avec les tendances progressistes de l'école sartrienne; et c'était comme un congé donné aux intellectuels d'extrême-gauche que Simone de Beauvoir devait appeler, dans un roman fameux, les « mandarins », inspirateurs et conducteurs de la pensée française depuis une dizaine d'années et dont Camus lui-même était apparu d'abord comme le théoricien sinon le plus original, du moins le plus clair.

Nous touchons ici à l'un des épisodes importants dans l'histoire de la culture contemporaine, et il vaut la peine de s'y arrêter. Pour Camus, comme pour Sartre, Dieu est absent de l'histoire et il n'est pas question de l'y rétablir. Mais l'auteur de *l'Homme révolté* constate que l'humaniste du XXᵉ siècle a remplacé Dieu par une idole aussi et même plus dangereuse, par un autre absolu d'autant plus chargé de meurtres virtuels qu'il est plus proprement temporel et politique : il a divinisé l'histoire elle-même. L'essai sera donc une critique de l'historisme, c'est-à-dire du transfert de l'absolu dans l'histoire. Les rationalistes bourgeois, dit Camus en substance, avaient vidé le ciel du Dieu chrétien, mais ils y avaient laissé suspendues les valeurs à majuscule, Vertu, Liberté, au nom desquelles les Jacobins organisèrent la Terreur. Les grands individualistes du XIXe siècle, romantiques, dandies, athées nietzschéens ou possédés de Dostoïevski, allèrent plus loin, ils destituèrent la morale elle-même, ne laissant debout que l'homme avec sa révolte et sa volonté de puissance et aboutissant à différentes formes de nihilisme. Cependant, tant que l'individu transférait dans sa propre nature la valeur suprême, l'homme pouvait encore penser et agir à la mesure de l'homme. Le risque fut plus grand quand Hegel refit une divinité transcendante à l'homme : l'Histoire. Ce grand mouvement qui fait se succéder les formes du monde a sa raison en soi, et c'est cette raison qui est divine. L'homme ne le dirige pas, il y est porté ; et sa liberté consiste à s'absorber dans le cours nécessaire des choses temporelles. D'une certaine façon, le vaincu a toujours tort et le vainqueur toujours raison, au sens le plus total du mot, puisqu'en sa victoire se traduit l'équilibre nécessaire des choses. «Le panlogisme de Hegel, écrit Camus, est une justification de l'état de fait (...). La suppression de toute valeur morale et des principes, leur remplacement par le fait, roi provisoire mais roi réel, n'a pu conduire qu'au cynisme politique.» La conséquence fut accentuée quand Marx, reprenant dans une perspective matérialiste le spiritualisme dialectique de Hegel, transposa une doctrine philosophique en idéologie révolutionnaire. Sans doute, Marx avait dit, en passant, qu'un but «qui a besoin de moyens injustes n'est pas un but juste» ; mais ce n'est point ce qu'entendirent ses disciples : affrontés aux problèmes de l'action, les chefs du communisme, certains de travailler et d'agir dans le sens d'une raison absolue de l'histoire, se trouvèrent justifiés d'employer à cette fin des moyens de violence ; et le meurtre et la terreur déferlèrent sur le siècle. Ainsi, en prévision d'une justice rejetée dans un avenir aussi indéterminé que l'était la vie éternelle des chrétiens, l'injustice fut, par une voie nouvelle, légitimée « pendant tout le temps de l'Histoire ».

C'est dans ces perspectives qu'il faut se placer pour comprendre la situation de l'homme révolté selon Camus : il est exactement celui qui refuse en même temps la violence liée à l'absurdité de l'Histoire et la violence qui renaît de l'historisme ; il ne condamne pas moins un ordre établi qui sécrète l'injustice, qu'une certaine façon arbitraire de rationaliser l'Histoire qui rétablit l'injustice sous une autre forme. Or le péché d'historisme n'est pas seulement le fait du communisme soviétique, il est aussi celui du progressisme sartrien. Rien de plus significatif, à ce propos, que l'opposition du révolté et du révolutionnaire telle qu'elle fut pensée par Sartre, et telle que Camus la propose. On se souvient que Sartre, dans son *Baudelaire,* avait introduit la distinction du révolté, qui entend « maintenir intacts les abus dont il souffre pour pouvoir se révolter contre eux », et du révolutionnaire « qui veut changer le monde, et le dépasse vers l'avenir, vers un ordre de valeurs qu'il invente ». Chez Sartre, la révolte, pur mouvement sentimental, inefficace et corrompu de mauvaise foi, est inférieure à la révolution, qui seule s'inscrit dans l'Histoire en y portant la marque de « la grande liberté des constructeurs ». Les choses sont présentées tout autrement chez Camus. « Le révolutionnaire, écrit-il, est en même temps révolté ou alors il n'est plus révolutionnaire, mais policier et fonctionnaire qui se tourne contre la révolte. Mais, s'il est révolté, il finit par se dresser contre la révolution. » En d'autres termes, l'homme se révolte au nom de la justice contre l'aliénation sociale fixée dans un État ; si la révolte réussit, elle devient révolution ; mais une révolution, c'est la substitution d'un ordre étatique à un autre ; et tout État est injuste et oppressif ; donc, « tout révolutionnaire finit en oppresseur ou en hérétique » : et la pureté, la supériorité morale sont du côté du révolté. Le révolutionnaire, c'est l'homme assoiffé de puissance qui se met au service de l'Histoire ; et le révolté, c'est l'homme amoureux de la justice qui se met au service de l'esprit.

Koestler a vu à peu près la même opposition entre le commissaire et le yoghi. Dans le contexte des événements où écrivait Camus, lendemain du nazisme et actualité du terrorisme stalinien, on comprend sa réaction. Cependant, le fond de sa pensée

Appel public de Camus en faveur de l'insurrection hongroise

laisse apparaître une équivoque. Faut-il comprendre qu'à son jugement la dégradation de la pure révolte en révolution oppressive tient à quelque erreur métaphysique du révolté — est-ce, par exemple, le nihilisme de Nietzsche qui appelait virtuellement le cynisme hitlérien? Et le matérialisme de Marx était-il lourd de la tyrannie soviétique? Ou bien cette dégradation est-elle fatale, la révolution tendant nécessairement à créer un État, et l'État étant, par essence, mauvais, le gouvernement, comme l'a dit Proudhon, « ne pouvant être révolutionnaire par la raison toute simple qu'il est le gouvernement » ? Il semble bien que ce soit vers cette seconde hypothèse que penche l'auteur de *l'Homme révolté,* qui se laisse glisser d'une certaine intempérance idéaliste

vers un anarchisme sentimental, politiquement indéfendable.
L'exemple de la révolte pure et sainte, Camus l'avait déjà
donné au théâtre, en exaltant ces *Justes,* ces terroristes russes
de 1905, «meurtriers délicats», qui font le geste symbolique de
tuer en épargnant les innocents et en donnant leur propre vie
pour équilibrer leurs meurtres. Mais est-il évident que le
terrorisme devienne innocent à la seule condition qu'il ne crée
pas un nouvel État, c'est-à-dire qu'il échoue historiquement?
Et si l'on admet qu'il existe un désordre établi, peut-on espérer
et vouloir le corriger par une méthode à ce point idéale et
abstraite? En théorie au moins, les communistes et les sartriens
ont raison de mettre l'efficacité révolutionnaire au-dessus de la
bonne conscience du révolté, si celle-ci se contente de protestations et de gestes violents mais stériles.
D'où les grandes polémiques qui allaient, après la publication
du livre de Camus, s'étendre dans *les Temps modernes* au début
de l'année 1952, et aboutir à la rupture de Camus et de Sartre.
De leur point de vue progressiste, les sartriens n'avaient sans
doute pas tort de reprocher à Camus d'apporter au moulin
des partis conservateurs une eau savamment canalisée depuis
les hautes sources de la mystique révolutionnaire. «Vous tenez,
écrivait Jeanson, que la révolution ne peut demeurer valable,
c'est-à-dire révoltée, qu'au prix d'un échec total et quasi immédiat. En somme, vous avez choisi la défaite et vous lui avez
donné du ton... Vous baptisez révolte le consentement, et le
voici dédouané.» C'était, en effet, un paradoxe de faire de la
révolte le réflexe par excellence de l'homme conscient et créateur, pour amener en conclusion l'apologie de la sagesse hellénique, du style classique et du réformisme démocratique. Et
c'était une faiblesse, en opposant la révolte à la révolution à
peu près comme Péguy opposait la mystique à la politique,
d'insinuer que l'idée se dégrade fatalement quand elle passe
dans les actes et dans les lois, de céder au romantisme de la
pureté dans l'échec et, par conséquent, de frapper l'action
historique d'un discrédit fondamental.
Cependant, ce que les « mandarins » combattaient avec une

apparence de raison et une brillante fureur, n'était-ce pas, plutôt que la pensée authentique de Camus, le schéma simplifié et falsifié qu'il leur plaisait d'en donner ? « L'attitude que vous préconisez, écrivait Jeanson, consiste à maintenir l'Histoire, mais en se gardant d'y rien entreprendre. » Cette passivité bouddhique est-elle vraiment la leçon de *l'Homme révolté* ? Camus reprenait le meilleur en répondant que ce qu'il avait refusé n'était pas l'histoire, mais l'historisme, la croyance apparemment logique mais effectivement mystique, à la rationalité des événements. Si l'action révolutionnaire, spécialement dans le style marxiste, lui paraît périlleuse, c'est que, posant un certain sens de l'Histoire comme nécessité rationnelle et valeur absolue, elle y suspend logiquement la justification de la terreur. Mais dire que le révolté, pour rester pur, doit exclure ce type d'action, n'implique pas qu'il se garde de « rien entreprendre dans l'Histoire » ; il se peut que les solutions préconisées par Camus, syndicalisme apolitique et socialisme parlementaire, soient politiquement discutables, du moins ne sont-elles pas abstention systématique. Penser le contraire, c'est vouloir qu'il n'y ait d'efficacité révolutionnaire que dans et par le communisme : postulat plus sentimental que scientifique et qui — sur ce point, Camus avait aussi raison — s'allie fort mal avec les principes de l'existentialisme. En effet, si le marxisme est vrai, il existe une nécessité dans le mouvement dialectique de l'Histoire. Si l'existentialisme est vrai, la marche de l'Histoire est faite d'une succession de choix toujours libres, elle est donc indéterminée et constamment suspendue à un risque. Alors que le révolutionnaire communiste est, essentiellement, celui qui prend un risque, parce qu'il ne cesse d'affirmer la contingence du monde, et son culte de la liberté va jusqu'à lui faire refuser l'architecture protectrice d'un État dont il redoute la vocation policière. « Il est franchement impossible, écrit Camus, de dénier au socialisme non marxiste, et par exemple à la morale du risque historique qui est définie dans mon livre, toute efficacité et tout sérieux, sans le faire au nom d'une nécessité historique qu'on ne trouve que chez Marx et chez ses disciples. » Or,

ajoute-t-il, les critiques des *Temps modernes* devraient prouver que « l'Histoire a un sens nécessaire et une fin, que le
visage affreux et déshonoré qu'elle nous montre n'est qu'un
leurre, et qu'au contraire elle progresse inévitablement, quoique
avec des hauts et des bas, vers ce moment de réconciliation, où
nous pourrons sauter dans la liberté définitive ». Mais comment
cette preuve pourrait-elle être administrée par une philosophie
de la pure contingence, et quel moyen celle-ci aurait-elle de
justifier, par exemple, au nom d'un ordre de justice et de liberté
rejeté dans un futur imprévisible, le fait actuel et concret du
terrorisme stalinien ? Reconnaissons que, sur ce point, Camus
tenait le bon bout : quelle qu'en soit la valeur intrinsèque, une
politique anarchiste ou anarcho-syndicaliste apparaît plus
logiquement rattachée à une métaphysique existentialiste que
ne peut l'être une profession de foi marxiste, ou même une
alliance de fait avec le parti stalinien.

D'ailleurs, si l'on regarde au fond des choses, la virulence du
conflit qui a opposé Camus aux « mandarins » après *l'Homme
révolté* tient moins aux déviations qu'à partir du progressisme,
qui avait été d'abord l'attitude politique commune à eux et à
lui, ils pouvaient lui reprocher, qu'à une opposition plus
principalement métaphysique. Ainsi que nous l'avons vu,
l'évolution de Camus, entre 1937 et 1950, a eu un sens proprement humaniste, c'est-à-dire qu'elle l'a conduit à retrouver,
au-delà de l'absence ou de la mort de Dieu, la transcendance
des valeurs affirmées par la conscience humaine. Il a reconnu
cette vérité foncière que l'homme, tout en appartenant à l'Histoire, la dépasse par l'esprit, ayant par l'esprit une dimension
transhistorique. Et c'est ce que Sartre et ses disciples avaient
de la peine à lui pardonner. « La clé de tout cela, lui disait
Jeanson, je vous dirai encore où je crois la saisir : c'est que Dieu
vous occupe infiniment plus que les hommes. » Littéralement,
ce n'est pas exact ; mais il est vrai que la révolte camusienne,

qui a commencé par être une tentative pour exorciser l'absolu,
est devenue la revendication d'un absolu qui ne pouvait pas
être situé dans l'Histoire. Quand Camus écrira dans *l'Été :*
« L'histoire est sans yeux, et il faut substituer à sa justice la justice que l'esprit conçoit », on pourra dire qu'il a rejoint la ligne
haute des grands philosophes de l'esprit.
Sans doute y avait-il un *saltus* métaphysique entre le point de
départ et le point d'arrivée. Mais les sartriens progressistes,
eux aussi, avaient leurs difficultés pour conjoindre la confiance
marxiste en une dialectique nécessaire de l'Histoire et la thèse
de la liberté indéterminée de l'homme ; et aussi pour fonder
une politique humaniste à partir de la négation d'une essence

Karl Marx

de l'humain. Sartre disait bien
que l'Histoire n'a pas de sens
en dehors de l'homme qui la
fait, et qui lui en donne un.
Mais Marx, justement, voit ce
sens lié à la nature des choses,
la liberté de l'homme ne consistant qu'à s'y soumettre, ce
qui en pratique aboutit à
caractériser moralement les
actes politiques par leur
conformité aux décisions et
aux intérêts du parti communiste. A quoi Sartre a bien
du mal à se plier — on le verra
à propos de la tragédie de
Budapest. Et puis, Hitler aussi
voulait donner un sens à l'His-
toire ; quel droit avons-nous de juger que ce sens est immoral
si nous refusons d'avoir, en dehors de l'Histoire, des critères pour le juger ? Il est vrai que Sartre ajoute : « L'homme
se fait historique pour poursuivre l'éternel, et découvre
des valeurs universelles dans l'action concrète qu'il mène
en vue d'un résultat particulier », ce qui est largement vrai,

mais bouleverse tout le système : car on rejoignait, en fait, l'idéalisme de Camus et même l'humanisme traditionnel quand on accordait que «l'action concrète» enveloppe des valeurs universelles, et que tout service temporel suppose une certaine aspiration d'éternité. Jeanson écrit de son côté que les hommes «orientent l'histoire selon leurs moyens», et peuvent tenter «contre ses pentes inhumaines, de la rendre progressivement moins désinvolte à l'égard d'un si grand nombre d'existences». Si l'Histoire a des « pentes inhumaines », c'est évidemment que l'humain se définit en dehors d'elle. Le reconnaître, c'était accorder à Camus qu'une philosophie de l'Histoire suppose au principe une idée de l'homme, qu'une politique révolutionnaire

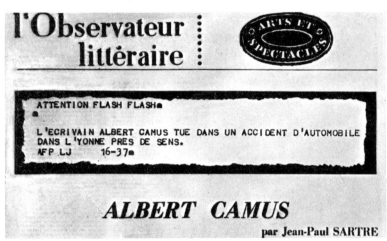

France Observateur du 7 janvier 1960

doit nécessairement se référer à un système de valeurs transhistoriques, et que, pour refaire un humanisme, il faut toujours trouver un biais pour affirmer la primauté de l'esprit.
Je ne pense pas que l'on puisse donner au conflit de Camus et des «mandarins» une meilleure conclusion que ces lignes très nobles que Sartre lui-même écrivit dans *France Observa-*

teur à la nouvelle de la mort tragique de Camus : « Il représentait, en ce siècle, et contre l'Histoire, l'héritier actuel de cette longue lignée de moralistes dont les œuvres constituent peut-être ce qu'il y a de plus original dans les lettres françaises. Son humanisme têtu, étroit et pur, austère et sensuel, livrait un combat douteux contre les événements massifs et difformes de ce temps. Mais, inversement, par l'opiniâtreté de son refus, il réaffirmait, au cœur de notre époque, contre les machiavéliens, contre le veau d'or du réalisme, le fait moral. » La tradition littéraire française, l'humanisme, le fait moral : ce vocabulaire n'est pas habituel à Sartre ; et pourtant, il a dû y recourir pour fixer les caractères de la vocation de Camus. Venues de l'ancien compagnon changé en adversaire, ces louanges étaient lourdes de sens et le situaient mieux que n'avait fait aucun discours critique, aucun panégyrique officiel.

P.-H. S.

Le poids
de l'Histoire

Albert Camus en 1950

De Gaulle descendant les Champs-Elysées le 25 août 1944

Escorté de ses compagnons et des membres du conseil de la Résistance, le général de Gaulle descend les Champs-Elysées. La bataille pour la libération de Paris a duré dix jours et, le 24 août 1944, « Combat » sort enfin de la clandestinité avec un éditorial de Camus qui, le lendemain, écrit encore : « Ceux qui n'ont jamais désespéré d'eux-mêmes ni de leur pays trouvent sous ce ciel leur récompense. Cette nuit vaut bien un monde, c'est la nuit de la vérité... Unis dans la même souffrance pendant quatre ans, nous le sommes encore dans la même ivresse, nous avons gagné notre solidarité. »

« Combat » du 25 août 1944

EDITION DE 5 HEURES ★ ★ ★ ★ ★   4ᵉ Année · N° 63

COMBAT
DE LA RESISTANCE A LA RÉVOLUTION

VENDREDI
25
AOÛt 1944

Le n° : 2 francs

PRÈS QUATRE ANS D'ESPOIR ET DE LUTTE

LES TROUPES FRANÇAISES
entrent dans la capitale libérée

---

a nuit la vérité

NDIS que les balles de la liberté sifflent encore dans la ville, ons de la libération sent les portes de la milieu des cris et. Dans la plus belle chevauchée des nuits de la ciel du Paris mêle des de toujours les trantes, la fumée indies et les fusées ares de la joie pro. Dans cette nuit la s'achèvent d'une histoire mon- d'une lutte indi. la France était aux avec sa honte et sa

qui n'ont jamais d'eux-mêmes, ni pays trouvent sous leur récompense. c'est la nuit de la de la vérité en armes combat, la vérité en après avoir été si le. la vérité aux des et à la poitrine. Elle est par- ns, elle fait et le canon grondent le temps, elle et la de ce peuple et anon, elle a le vi- phant et épuisé battante dès le sur colafeur et la lueur. pt bien la nuit de la de la voix qui soit celle qui consent à vaincre.

quatre ans, se sont levés au s décembres et du et et affirmé anquilité que rien perdu. Ils ont dit et il continuer pour ou du mal à conti- toujours triompher ce le prix, ils ont nahayer le prix. Il est été isolé, l'a poids du sang, l'af- lesanteur de ces m morts, d'autres es depuis des années pu a pris qu'il fallait Mais ces mêmes ns il le pouvaient reprocherait pas à terrible et merveil- qui nous empli

tte joie ne leur est ns la joie du juste. ntraire et elle dit ou raison. Unir même souffrance quatre ans, nous is ncore dans la mê- es, nous avons pu solidarité. Et connaissons dans que cette nuit ue pendant la ls auch. Nous avons nnées de la fra-

---

(... en 2ᵉ page)

DE GAULLE serait aujourd'hui à Paris

Des nouvelles, on en avait. On en avait eu beaucoup depuis huit jours. Cette fois, il fallait bien le croire. Mais il y avait une ligne à franchir, une sorte de ceinture sacrée.

On aurait dit que tant que la division Leclerc n'avait pas franchi les portes, elle restait encore loin de nous, toujours comme une promesse. Les portes de Paris ont été ouvertes, entre midi et 6 heures, un prestige oublié depuis soixante ans : le prestige des vieilles fortifications.

Et c'était dans le crépuscule, que la rumeur est montée. Il fallait, à l'entrée des troupes françaises dans Paris libé- ré, cette nuit éclatante et douce, cette présence des constel- lations, la rumeur a éclaté en fusées, en balles traçantes fondues dans l'espace comme des météores.

Des rues presque vide. Ville, je devine une masse barricades gardées. Sur les boulevards, on siffle les ravitaillement. Sans doute. CHANT DU DEPART. Des uniformes inconnus. Tout Un son soudainement chan- est calme. On parle français. C'est cela la victoire et la Ce sont eux. liberté : une nouvelle façon Ils s'ont rien d' de siffler le CHANT DU d' avons rien à leur dire. Cer- DEPART, un homme isolé tains s'y essayent, sincère- siffle sur les boulevards. Et ment. Vingt et un mois de les voici. captivité, j'attends ce jour C'est place de l'Hôtel-de- depuis quatre ans. Ils s'em-

Les parisiens attendent

Le général de Gaulle, prési- dent du gouvernement provi- soire de la République fran- çaise, vient d'arriver. Venant d'Aix à Paris. Le chef de la division du général Leclerc a marché à travers la capitale.

(texte partiel illisible)

Ceux qu'on n'oubliera plus : les défenseurs de l'Hôtel de Ville.

DE FONTENAY-AUX-ROSES A PARIS
avec une colonne Leclerc
(De notre envoyé spécial)

16 heures. — Les Américains sont annoncés aux portes de Paris, 17 heures. — A travers Paris tout le monde s'insurrectionne je gagne la porte d'Orléans. Tout le monde m'attend, tout le monde m'appelle ... *(texte partiel)*

L'ovation après le canon

Couvert par la population de drapeaux et de fleurs, le soldat français embrassé ...

PAVOISEZ POUR LA LIBERATION !

Le Commissaire d'État, délé- gué général du Gouvernement Provisoire de la République Française a lancé hier le procla- mation suivante :

« Parisiens, Paris respire. L'heure de la libération sonne.

SACHA GUITRY
Jérôme Carcopino, Paul Chack et quelques autres ont été arrêtés

(texte partiel illisible)

Parisiens n'utilisez plus le gaz

La Préfecture de Police ...

UN JOUR DE BATAILLES
et une nuit d'enthousiasme
dans Paris libéré

En cette matinée pluvieuse du 24 août, les promeneurs sortis tôt de leur demeure aperçoivent, au détour d'une rue, le nuage épais de fumée jaunâtre flottant au-dessus du dôme et des ailes du Grand Palais. Mais bientôt une autre nouvelle vient affirmer leur émotion : Les Alliés approchent de Paris ! la division Leclerc entrera la première dans la capitale : 30.000 hommes roulent en direction de la grande ville. Ils sont à Montlhéry, à Limours, à Versailles. tout à l'heure, ils seront parmi nous.

Tandis que les chars du général Leclerc arrivent aux portes de Pa- ris, les habitants de la Capitale se hâtent de parachever leur ultime ...

Barricades

Pour se rendre en ville, on franchit le nouveau réseau des F.F.I. ...

Les lâches

Jusqu'au dernier instant, Paris fut le théâtre de violentes luttes ...

La bataille de rues continue

Pendant que la Capitale se prépare pour la libération ...

Le nouveau Préfet de la Seine
Marcel FLOURET
s'adresse aux Parisiens libérateurs de la capitale

Le nouveau préfet de la Seine, M. Marcel Flouret, qui vient d'être nommé officiellement a ...

LYON et BORDEAUX
ont été libérés hier
Le Havre et Rouen menacés
Grosse avance russe vers Cracovie

Paris est délivré, et, le même jour, Lyon et Bordeaux sont libérés.

Lyon a été libéré hier matin, à 5 heures, par les F.F.I., préparant ainsi l'entrée des Américains partis de Grenoble. D'autres éléments alliés avaient atteint, à la même heure, Annecy.

A Bordeaux, les patriotes français et les forces anglo- saxonnes ...

(Suite en 2ᵉ page)

Les S.S. installent Pétain
et ses ministres dans des châteaux du Jura

Les villes de l'Ouest acclament le général de Gaulle

Londres, 24 août. — ...

ROUMAINS ET ALLEMANDS SE BATTENT DANS BUCAREST

Londres 24 août. — ...

Un officier allemand est fait prisonnier par les F.F.I.

...pour transformer la Résistance en Révolution.

Camus, Jacques Baumel et André Malraux.

Malraux, encore en uniforme après la glorieuse campagne qu'il a menée en Alsace à la tête de ses chars, le rencontre au bureau du journal dont Camus a pris la direction avec Pascal Pia, le compagnon de toutes les luttes, celle d'« Alger Républicain » et celle de la Résistance. « La liberté, dira Malraux devenu ministre de l'Information du gouvernement provisoire, appartient à ceux qui l'ont conquise. » Le sous-titre de « Combat » le proclame aussi : l'œuvre de la Résistance ne sera pas achevée tant qu'elle n'aura pas abouti à la Révolution, attendue et préparée pendant quatre ans.

Camus, dans ses éditoriaux, lie alors étroitement morale et politique, révolte et révolution : « Tout au bout de sa révolte triomphante, la résistance en vient à souhaiter la révolution, et si le souffle de cette révolte ne tourne pas court, elle fera cette révolution. »

Dans l'immédiat, une réforme s'impose : celle des objectifs et des méthodes de la presse. « Nous étions décidés, à notre place et pour notre faible part, à élever ce pays en élevant son langage. » Un impératif fondamental : respecter le public, l'informer par un commentaire politique et moral de l'actualité. La tâche est écrasante : aux multiples charges matérielles d'un journal qui se veut indépendant, s'ajoute pour Camus la responsabilité morale dont il se sent investi.

Les journalistes au « marbre »

Raymond Aron

Alexandre Astruc

Jean Bloch-Michel

Jacques-Laurent Bost

Jacques Lemarchand

Maurice Nadeau

« Combat » fut le journal d'une équipe de remarquables journalistes. Certains poursuivront leur action politique : Albert Ollivier au R.P.F., Claude Bourdet à « l'Observateur », Jean Texier au parti socialiste. Les autres se consacreront soit au journalisme comme Jacqueline Bernard et Georges Altschuler, soit à la critique comme Maurice Nadeau et Jacques Lemarchand, soit à la philosophie comme Raymond Aron. Roger Grenier et Jean Bloch-Michel se partageront entre le roman et l'essai ; Jacques-Laurent Bost ralliera « les Temps modernes » et Alexandre Astruc se révélera un brillant metteur en scène de cinéma.

brillante équipe, prend position...

Georges Altschuler

Jacqueline Bernard

Claude Bourdet

Roger Grenier

Albert Ollivier

Jean Texier

Au sein de cette jeune équipe, dont les membres se placeront plus tard au premier rang, quelle que soit la voie choisie, le sérieux n'exclut pas la fantaisie, ni l'ascendant spirituel de Camus l'indépendance de chacun. On travaille dans la confiance et l'égalité. Le produit de la vente des journaux est déposé dans une corbeille. Le soir, on partage l'argent. Mais le mépris de cette équipe à l'égard des feuilles à sensation entraînant de graves difficultés financières et l'apparition de divergences politiques allaient avoir raison de l'autonomie du journal que Camus abandonnera en 1947 aux mains de Claude Bourdet.

Camus au procès du maréchal Pétain (avril 1945)

Le maréchal Pétain, âgé de quatre-vingt-neuf ans, vint répondre de ses actes devant la Haute Cour de justice en avril 1945. Attentif, Camus figure au banc de la presse. Le procès de la collaboration commençait, annoncé et appelé dès les premiers jours de la bataille de Paris par les éditoriaux de « Combat ». Selon la dialectique chère à Camus, le combattant a acquis par les armes le droit de parler et de juger. Il en a en même temps le devoir, s'il ne veut pas trahir la cause des camarades tombés pendant le combat. « Ce n'est pas la haine qui parlera demain, mais la justice elle-même, fondée sur la mémoire. »

Avec netteté, Camus rejette la tentation de ceux qui, comme Mauriac,
seraient tout prêts à accorder le pardon. « M. Mauriac ne veut pas ajou-
ter à la haine, et je le suivrais bien volontiers. Mais je ne veux pas
qu'on ajoute au mensonge et c'est ici que j'attends qu'il m'approuve. »
La miséricorde n'est que faiblesse quand elle entrave une justice devenue
nécessaire : «En tant qu'homme, j'admirerai peut-être M. Mauriac
de savoir aimer des traîtres, mais en tant que citoyen, je le déplorerai. »
Ce qui n'empêchera pas Camus de dénoncer bientôt une « épuration »
où l'esprit de vengeance dénature les options politiques.

. contre le maintien du régime franquiste en Espagne.

L'entrevue Hitler-Franco à Hendaye, 1940

Le maintien de Franco en Espagne paraît à Camus, dans l'Europe de l'après-guerre, un vrai « crime contre la conscience ». C'est que la stabilité du régime franquiste lui offre le spectacle de « l'injustice triomphante dans l'Histoire ». La peste n'a pas disparu avec Hitler et Mussolini. S'il a choisi de situer « l'État de siège » à Cadix, c'est que « les premières armes de la guerre totalitaire ont été trempées dans le sang espagnol ». Dans une allocution prononcée le 30 novembre 1952, il déclarera : « Quand on sait qu'à Madrid le ministre. actuel de l'Information est celui-là même qui fit la propagande des nazis pendant le règne de Hitler, quand on sait que le gouvernement qui vient de décorer le poète chrétien Paul Claudel est celui-là même qui décora de l'ordre des Flèches Rouges Himmler, organisateur des crématoires, on est fondé à dire, en effet, que ce n'est pas Calderon ni Lope de Vega que les démocraties viennent d'admettre dans leur société d'éducateurs, mais Joseph Goebbels. »

Meeting pour les républicains espagnols
(Merleau-Ponty, Sartre et Camus)

Il lance un appel pour l'avenir de l'Algérie...

« La Dépêche de Constantine » du 16 mai 1945

CRISE EN ALGERIE

par *Albert* CAMUS

Devant les événements qui agitent aujourd'hui l'Afrique du Nord, il convient d'éviter deux attitudes extrêmes. L'une consisterait à présenter comme tragique une situation qui est seulement sérieuse. L'autre reviendrait à ignorer les graves difficultés où se débat aujourd'hui l'Algérie.

« Combat » du 13 mai 1945

Quand se déchaîna à Sétif une insurrection qui s'étendit rapidement à tout le Constantinois, Camus fit une enquête : les causes du soulèvement sont, dit-il, la famine et de légitimes aspirations politiques. Le premier, il présente à une opinion ignorante ou hostile Ferhat Abbas, le chef du parti du Manifeste pour la liberté. Il démontre le caractère raisonnable et modéré du projet, auquel s'est ralliée la majorité musulmane, et il en appelle à l'intelligence du gouvernement. Mais « on a préféré y répondre par la prison et la répression. C'est une pure stupidité ». L'ordre est donné de bombarder la côte et les villages de l'intérieur.

Camus dans son bureau de « Combat »

Le 7 août 1945, la première bombe atomique est lancée sur Hiroshima.
Dans le curieux « concert » que la nouvelle suscite — jubilation de
voir le Japon acculé à la capitulation, enthousiasme devant les progrès
techniques — la voix de « Combat », seule, est discordante. « La civili-
sation mécanique vient de parvenir à son dernier degré de sauvagerie.
Il va falloir choisir, dans un avenir plus ou moins proche, entre le
suicide collectif ou l'utilisation intelligente des conquêtes scientifiques...
Ce n'est plus une prière, mais un ordre qui doit monter des peuples
vers les gouvernements, l'ordre de choisir entre l'enfer et la raison. »

La bombe atomique

« Les Justes » et « l'Homme révolté » dénoncent les déviations de la Révolution vers le totalitarisme.

« Les Justes » remportent un immédiat succès. Le classicisme de la forme, le retour à une tradition théâtrale dont « l'État de siège » avait tenté de s'écarter, contrastent avec la nouveauté du fond. La pièce marque en effet un tournant dans la pensée de Camus qui, après la méditation sur le suicide (Sisyphe), après la découverte de la solidarité (la Peste), cherche à fixer les limites de l'action révolutionnaire. Désigné pour tuer le grand-duc Serge, Kaliayev, le héros de la pièce, s'abstient au dernier moment de lancer sa bombe pour épargner des enfants. Son attentat, il l'exécutera plus tard, puis offrira sa propre vie en justification. Ces données, Camus allait les développer dans « l'Homme révolté », où il fait l'analyse de la révolte qui, déviée de sa finalité, tente de s'inscrire dans l'Histoire et la critique de la Révolution installée et bureaucratique. Venu libérer l'homme, le terroriste se transforme en tyran. Car une liberté déifiée aboutit à la terreur. « Dans l'univers purement historique qu'elles ont choisi, révolte et révolution débouchent dans le même dilemme : ou la police ou la folie. »

Représentation des « Justes »
avec Maria Casarès et Serge Reggiani

Contre l'existence des camps de travail en U.R.S.S.

« Le Figaro littéraire » du 12 novembre 1949

David Rousset

Les camps de concentration existent toujours et cette fois en pleine Union soviétique : telle est la révélation stupéfiante qu'apporte au monde occidental David Rousset échappé des « camps de la mort » nazis. « Les camps faisaient partie de l'appareil d'État en Allemagne. Ils font partie de l'appareil d'État en Russie soviétique », écrit Camus à Emmanuel d'Astier. Dans une lettre datée du 30 juin 1952 et adressée aux « Temps modernes », il définissait en ces termes le problème tel qu'il se pose pour les marxistes : « Il me paraît difficile en tout cas, si l'on est d'avis que le socialisme autoritaire est l'expérience révolutionnaire principale de notre temps, de ne pas se mettre en règle avec la terreur qu'il suppose, aujourd'hui précisément, et, par exemple, toujours pour rester dans la réalité, avec le fait concentrationnaire. » Les arguments économiques apportés par certains marxistes pour justifier l'emploi d'une main-d'œuvre servile ne sont pas valables : « Il n'y a pas de raison au monde, historique ou non, progressive ou réactionnaire, qui puisse me faire accepter le fait concentrationnaire. » Avec les camps, comme avec les « procès » de style moscovite des démocraties populaires, le régime stalinien se démasque.

et les procès staliniens...

Laszlo Rajk

Procès de Laszlo Rajk

Mac Arthur sur le front de Corée

La guerre de Corée, qui accentue encore le clivage des intellectuels, aurait bien failli déclencher une troisième guerre mondiale si le président Truman n'avait limogé le général Mac Arthur le 11 avril 1951. En soutenant la politique de Syngman Rhee et en voulant bombarder la Mandchourie, celui-ci, en effet, jetait officiellement la Chine dans le conflit et donnait à l'Union soviétique, bien qu'elle fût encore en retard sur le plan de l'armement atomique, l'occasion de provoquer son adversaire américain. De son côté, l'Europe occidentale, à cause du Pacte Atlantique, suivait docilement son allié, maître de l'O.N.U., où le tiers monde ne faisait pas encore entendre sa voix. Camus recommandera de préserver la chance de la paix en refusant d'aider aux forces de la guerre. Le pessimisme, sensible dans « Actuelles II », n'entraîne aucun renoncement. « Ce n'est pas assez de critiquer son temps, il faut encore essayer de lui donner une forme et un avenir », déclare Camus dans l'avant-propos de ce recueil.

La guerre de Corée

Jean-Paul Sartre

Les options politiques vont bientôt opposer Camus à ses amis, les exis-tentialistes, que domine le couple Jean-Paul Sartre et Simone de Beauvoir. Par haine du gouvernement bourgeois, par réaction contre la stérilité d'un anticommunisme systématique, Sartre, après la dispa-rition d'un éphémère Rassemblement Démocratique Révolutionnaire auquel Camus n'adhéra jamais, propose pour un temps — toujours hors du parti — un « compagnonnage » avec le P.C., arguant que les excès et les défauts de celui-ci ne doivent pas faire oublier aux hommes de gauche qu'il constitue le seul parti prolétarien en France.

option que lui reproche violemment Jean-Paul Sartre.

UNE POLÉMIQUE
entre MM. Albert Camus
et Jean-Paul Sartre

Les Temps modernes, la revue que dirige M. Jean-Paul Sartre, a publié dans son dernier fascicule une longue lettre de M. Albert Camus, qui proteste contre la critique qui a été donnée dans cette revue, par M. Francis Jeanson, de son livre *l'Homme révolté*. M. Jean-Paul Sartre lui répond aussi longuement.

Sans la personnalité des deux interlocuteurs la querelle ne serait qu'un exemple de l'importance que l'idéologie politique a prise dans la littérature, qu'elle supplante aujourd'hui.

Une analyse complète obligerait à entrer — ou à donner l'impression que l'on entre — dans la discussion en assumant le risque de la suivre incomplètement.

Le fond se ramène à l'accusation de manquer de courage devant le communisme sans oser être pour ni contre, de le défendre parfois sans oser l'accepter

M. Camus avait voulu, dit-il, affirmer les raisons humaines de la révolte, sans nier toutefois ses causes telles que les définit le matérialisme historique. Il déplorait les conséquences du socialisme autoritaire, et plus précisément l'existence de camps de travail en Russie.

M. Sartre lui reproche d'abord de montrer de la mauvaise humeur d'auteur devant une critique qu'il a jugée défavorable. Il lui répond ensuite que ses critiques de la Russie sont une manifestation de la mauvaise conscience bourgeoise, heureuse, pour nourrir sa haine du communisme, de relever les actes d'inhumanité commis en U.R.S.S., afin de couvrir, d'équilibrer au moins, ceux qu'elle commet, Le Turkmène, écrit-il, est destiné à faire passer le Malgache, il est destiné à « se donner bonne conscience ».

Il ne semble pas que cette polémique doive avoir des suites ; les interlocuteurs s'accordent pour rappeler à la fin de leurs lettres (qui sont en réalité deux articles) leur amitié passée, que tous les deux, on le sent, regrettent.

« Le Monde » du 13 septembre 1952   Simone de Beauvoir

« Les Temps modernes » publient, sous la plume de Francis Jeanson, une critique quelque peu partiale de « l'Homme révolté ». Camus y est accusé de vouloir se dégager de l'Histoire et partant de donner la main au capitalisme en sacrifiant à la « pseudo-philosophie d'une pseudo-histoire des révolutions ». Répondant à Jeanson et à travers lui à Sartre, Camus leur reproche avec hauteur de n'avoir « jamais placé que leur fauteuil dans le sens de l'Histoire » et démontre que son livre est une œuvre engagée. Le public se passionne pour cette querelle de « mandarins », que le roman de Simone de Beauvoir transposera.

La sanglante répression des émeutes de Berlin-Est

La révolte de Berlin-Est, juin 1953

Les émeutes ouvrières de Berlin-Est en juin 1953, la révolte de Buda-
pest en septembre 1956, semblent confirmer les analyses de Camus :
« Staline pas mort ». Des hommes, des travailleurs se dressent le poing nu
contre des tanks, pour affirmer leur droit à la liberté. Mais, en dépit
des prédictions de Marx, la « dictature du prolétariat » n'est pas prête
à céder la place. Camus qui, en 1950 déjà, avait dénoncé la société
politique contemporaine comme « une machine à désespérer les hommes »,
joint sa voix aux protestations de la grande majorité des intellectuels de
gauche, indignés et effondrés devant ces sanglantes répressions.

Le soulèvement de Budapest (sept. 1956)

et de la révolte hongroise par les Soviétiques...

... le coupe définitivement de ses amis.

Maurice Merleau-Ponty

Après avoir, dans ses premières œuvres, exposé une philosophie proche de l'existentialisme de Sartre, apparenté au courant phénoménologique, Maurice Merleau-Ponty s'attache aux problèmes de l'engagement politique. L'évolution de sa réflexion l'amène, pour prendre ses distances avec le communisme, à abandonner en 1952 la codirection des « Temps modernes ». On le retrouvera trois ans plus tard à « l'Express », qui soutient à fond un Front républicain constitué avec l'appui de l'ancien R.P.F. par certains hommes de gauche, Pierre Mendès-France, Guy Mollet, François Mitterand. L'hebdomadaire de J.-J. Servan-Schreiber devient même quotidien pour la circonstance. Son directeur a su réunir une brillante équipe : Jules Roy, Albert Sauvy, François Mauriac. Né à l'occasion de la guerre d'Indochine, le journal, où chaque collaborateur conserve l'entière liberté d'exprimer ses opinions, défend un anticolonialisme lucide : de juin 1955 à février 1956, il offre à Camus une tribune pour défendre ses idées sur le problème nord-africain. Comme il l'avait fait à « Combat », Camus passe de longues heures au marbre, revoyant la copie, surveillant la mise en page, entouré par la ferveur de tout l'atelier.

Albert Camus, Maria Casarès et Serge Reggiani
au festival d'Angers en 1952

CHAPITRE V

La passion pour la scène

PAR MORVAN LEBESQUE

Qu'est-ce que le théâtre ? Un genre littéraire doublé d'une technique artisanale : le seul où la main ne se contente pas d'écrire. On est poète ou romancier en chambre ; l'auteur dramatique, lui, se heurte à un métier. Et à des gens qui lui sont à la fois inférieurs — puisqu'ils ne créent pas — et supérieurs — puisque, ce métier, ils le connaissent et l'exercent. Aucune œuvre théâtrale, pas même la plus grande, n'existe vraiment en bibliothèque : le commentateur le plus subtil en sait moins sur *Hamlet* que l'acteur qui le joue et en découvre les ressorts dans sa propre chair. Mais cette naissance d'un drame sur la scène constitue une épreuve impitoyable : les idées les plus hardies et les sentiments les plus profonds perdent toute valeur si le comédien les incarne mal, si le décor est mal planté, si la moindre longueur dans le texte, qui enchanterait peut-être un lecteur,

fatigue l'attention du spectateur et le détourne de la représentation. On conçoit que ces servitudes hasardeuses aient creusé
entre le théâtre et la littérature un fossé que les écrivains
hésitent à franchir. « Quoi, je ne suis pas seul ? Mon œuvre ?
Un comédien s'empare d'elle et lui donne sa voix, ses gestes,
ses tics ? Cette réplique dont je suis si fier, il me demande de la
couper sous prétexte qu'il ne la « sent » pas ou qu'elle gêne son
mouvement de sortie ? » Il est vrai : la vocation de dramaturge
implique la soumission à l'esprit d'équipe. Il y aura donc tout
naturellement deux façons pour un écrivain de « faire du théâtre » : la première, en acceptant les conditions de cet art, bon
gré mal gré, et en s'en remettant à un metteur en scène-traduc-
teur (Sartre, Montherlant, Giraudoux); et la seconde, de loin
la meilleure, en partant, non de la littérature, mais du théâtre,
non de l'œuvre écrite, mais du métier. Cette seconde méthode,
qui fait de l'écrivain non un « invité », mais un participant,
Molière en demeure le modèle et en quelque sorte le saint
patron. Pendant toute la première partie de sa vie, il n'est que
comédien et metteur en scène; puis la connaissance parfaite du
plateau le révèle à lui-même et suscite en lui un auteur qui
s'exprime idéalement sur les planches.
C'est ainsi, toutes proportions gardées, que commença Camus :
en « mettant la main à la pâte », en peignant des décors, en dirigeant des comédiens qui jouaient, non ses pièces, mais celles des
autres. Pour Camus, le théâtre fut d'abord effort physique,
apprentissage manuel : presque moins une activité intellectuelle
qu'un sport. Il le découvrit hors de toute ambition particulière,
comme il avait découvert les joies du football : « Les matches du
dimanche dans un stade plein à craquer et le théâtre que j'ai
aimé avec une passion sans égale sont les seuls endroits du
monde où je me sente innocent », dira plus tard Clamence.
Nous sommes à Alger, milieu des années 30. Quelques jeunes
gens ont décidé de « faire du théâtre » pour les raisons qui,
partout, donnent naissance aux compagnies d'amateurs :
rompre la monotonie de l'existence, secouer le conformisme
provincial; en vérité, se sentir vivre pleinement et devenir

enfin soi-même, car ne nous y trompons pas : le théâtre est un défoulement,et son masque un vrai visage qu'on arbore et grâce auquel la dactylo ou l'employé de magasin s'évadent de leur condition. Quant au talent, il est comme le fruit de l'arbre : il mûrit ou se dessèche. Beaucoup de compagnies d'amateurs se bornent à copier les professionnels : entre deux tournées parisiennes, on joue — moins bien — leur répertoire ; on s'aligne sur les « grands », on singe leur style, leurs traditions, et comme on possède un public gagné d'avance (les parents, les amis), que de faciles triomphes, que de vanités! Or, la nouvelle compagnie qui surgit à Alger en ces années-là ne se satisfit pas à si bon compte. Elle opta

Jean Negroni

pour la rigueur. Elle décida d'œuvrer de façon révolutionnaire en bousculant toutes les *Primerose* et *Fille de Roland* du catalogue amateur ; elle s'inspira du Cartel et promulga un art dramatique qui, à Paris même, n'avait encore conquis qu'une minorité. Elle s'appelait « l'Équipe », titre significatif. Camus la dirigeait et y occupa tous les emplois : comédien, metteur en scène, machiniste, souffleur. Les représentations se donnaient en plein air ou dans de petites salles de quartier. D'emblée, Camus avait compris la malfaisance du décor faussement réaliste et encombrant qui « tue » l'acteur aussi impitoyablement qu'une tapisserie, par ses couleurs et son immobilité, tue le personnage qui s'agite devant elle : par esthétique autant que par économie, il le remplaça par le plateau nu sur lequel vinrent se poser des éléments décoratifs légers, mobiles, strictement fonctionnels et faisant corps avec l'action. « C'était déjà la révolution scénique

de Vilar », nous dit Jean Negroni, un des pionniers de « l'Équipe »,
futur acteur du T.N.P. Quant au programme, Camus le voulut
éclectique : là aussi il suivait instinctivement le précepte que
Dullin enseignait alors à l'Atelier : « Toute œuvre réussie dans
le genre qu'elle s'est donné a raison. » Donc, pas de genre
maudit et à chaque pièce son style. Aucune systématisation,
aucune exclusive. Le programme de « l'Équipe » ressemble
déjà à celui, forcément très divers, que les centres dramatiques
« tourneront » quinze ans plus tard dans leurs provinces :
la Célestine de Rojas, mais aussi le Paquebot Tenacity, de Vildrac ;
le Baladin du Monde occidental, de Synge, mais aussi l'Article 330,
de Courteline. On ne redoute nullement ce qu'à Paris on appelle
encore craintivement le « théâtre littéraire » et on monte le
Retour de l'enfant prodigue, de Gide, dans lequel Camus, pour
l'ultime évasion du fils puîné vers la liberté et la vie, invente une
porte « très haute et très étroite ». Enfin, l'aisance technique
étant venue, on met en scène, dans la version Copeau-Croué,
les Frères Karamazov, où Camus tient le rôle d'Ivan. Déjà, il
songe à adapter les Possédés — dont la lecture a agi sur lui
comme un révélateur du monde politique contemporain et
du stalinisme — mais en attendant, il écrit avec deux amis une
tragédie politique d'actualité : Révolte dans les Asturies, qui sera sa
première œuvre publiée et porte déjà en germe toutes les promesses — et tentations — de son théâtre futur.
Je dois à Pascal Pia, alors directeur d'Alger Républicain auquel,
on le sait, Camus collaborait, d'intéressantes précisions sur ces
années d'apprentissage. Selon Pia, l'amour de Camus pour le
théâtre était un amour exclusif : il quittait tout pour s'y adonner
et ne se sentait vraiment heureux que parmi ses camarades
de « l'Équipe ». Pia va même plus loin et laisse entendre que
cette vocation éclipsait toutes les autres, y compris celles d'essayiste ou de romancier. Devrait-on la carrière purement littéraire de Camus à une sorte d'accident — le succès prodigieux de
l'Étranger — qui le détourna du métier d'animateur de théâtre ?
Nul ne peut l'admettre sérieusement et pourtant, quand on se
réfère aux dernières années de Camus et à son retour passionné

au monde des planches, il est difficile de ne pas imaginer qu'il caressa au moins un instant l'idée d'un destin « à la Molière », couronné par la direction d'une troupe permanente et d'un théâtre fixe à Paris. Le fait est : Camus se conduisit toujours en professionnel des tréteaux. J'ai dit plus haut (j'y reviendrai) la rigueur de ses mises en scène. Celle de son jeu n'était pas moindre — car — pour étrange que paraisse la chose, s'agissant d'un prix Nobel — Camus joua, je le répète, et dans une troupe, et dans la compagnie théâtrale de Radio-Alger où une photo nous le montre interprétant le rôle d'Olivier le Daim dans *Gringoire,* de Banville. Un acteur, et qui plus est, un acteur doué. Du comédien

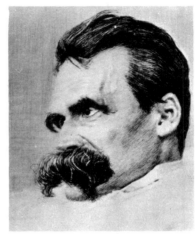

Nietzsche

professionnel, Camus avait le physique, la « présence », la voix chaude et bien timbrée, légèrement teintée d'accent méditerranéen; son emploi évoluait entre les catégories du « grand premier rôle » et du « raisonneur ». En 1944, Sartre songea à lui pour tenir le rôle de Garcin dans *Huis clos;* en 1957, il fut capable de remplacer au pied levé un acteur défaillant dans *Requiem pour une nonne,* aux Mathurins. Enfin, deux ans plus tard, lorsque la tournée provinciale des *Possédés* entra en répétition, Camus envisagea très sérieusement de tenir le rôle du Narrateur que ses amis comédiens le pressaient d'accepter et qu'il confia finalement à André Reybaz. Faut-il rappeler que le drame de Villeblevin eut lieu pendant cette tournée et que, s'il avait accepté ce rôle, Camus serait probablement encore vivant? Un acteur, un chef de troupe et, bientôt, un auteur. Tout naturellement, cet auteur coulera dans le moule théâtral les sujets et les thèmes de son œuvre livresque. Sur quels critères ? C'est ici tout le théâtre de notre temps qu'il faut survoler.

L'Origine de la Tragédie, de Nietzsche, a été pour Camus le maître livre du théâtre. Il en fut toute sa vie hanté. Il tenta désespérément de le mettre en pratique et s'il y échoua (indépendamment du succès de *Caligula* ou des *Justes*), cet échec ne peut lui être personnellement imputé mais demeure celui de toute une géné-ration devant un problème insoluble : la dimension dramatique de notre époque.

Dès avant 1900 apparaît à tous les esprits un peu rigoureux l'absurdité du théâtre bourgeois, théâtre en chambre, théâtre miroir où les prestiges de la scène sont passés à la salle, où, dans un décor de dorures et de stucs, le spectateur s'entre-regarde : dans la salle, un bourgeois-acteur livré à la cérémonie dérisoire du spectacle (lorgnettes, baisemains, fumoirs d'entracte) et, sur la scène, un acteur-bourgeois reflétant ses mœurs, ses tics, ses pauvres passions. On quitte son chez-soi pour le retrouver intact au théâtre : même salon, même téléphone blanc, même divan des adultères. Le dialogue lui-même copie (Henry Bataille déclare qu'une pièce doit être volontairement mal écrite par souci de vérité). Que demande le public ? D'être rassuré, bien sûr : on lui fournira donc des pièces « claires », aux situations et caractères immédiatement perçus — et oubliés — ou des pièces à thèses qui lui donneront l'illusion de réfléchir mais n'exprimeront en fait qu'une « pensée satisfaite » (Camus). Jusqu'au théâtre, la société se claquemure et se défend. Elle a d'abord construit des salles qui reproduisaient strictement l'ordre des classes, des balcons à l'amphithéâtre : à partir de 1920, elle en chassera définitivement le peuple et s'enfermera dans les « bonbonnières » du boulevard, ces garçonnières du spectacle. Par réaction, les novateurs songeront d'abord à inquiéter, puis à élargir. En haine des caleçonnades et des avocasseries, ils promulgueront en premier lieu un art de lyrisme, de sentiments indistincts, de clair-obscur verbal : retour provisoire à la poésie qui ne conduira qu'à une autre ségrégation plus noble, certes, mais non moins décevante. Alors, la tragédie hantera de nouveau les cœurs. Du mur d'Orange au cirque de Gémier et à ses spectacles de masses du « Vel'd'Hiv », c'est le peuple tout entier qu'il s'agit de reconquérir et de rendre à la « leçon de l'art ». Fini le temps des « happy few » : le théâtre redevient culte, messe, dionysie : ce que la Grèce a réussi, pourquoi ne pas le tenter en France ? Et, à défaut de la grande célébration attique, pourquoi ne pas ranimer les fastes du siècle élisabéthain ou du Siècle d'Or ? On n'avait oublié qu'un détail : ces grandes époques dramatiques dépendaient de conditions sociales à présent disparues. Les tragiques grecs avaient eu affaire à un peuple unanime et à une foi sans équivoque : aux premiers déchirements d'Athènes, à la première

Jacques Copeau

mise en question des dieux (Euripide), la tragédie mourut d'elle-même et céda le pas à la sophistique ; quant aux grands siècles espagnols et anglais, ils n'avaient été eux aussi que le reflet, sur les tréteaux, d'une société compacte : Shakespeare parle à tout le monde, nobles, manants et bourgeois, et tout le monde, d'un seul élan, l'écoute et lui répond. A notre époque, rien de pareil : société désunie, culture discontinue, absence de tout idéal commun. Ainsi, au temps de l'affaire Dreyfus, est-il puéril de ressusciter Œdipe : la véritable tragédie se joue au prétoire et dans la presse et le héros sophocléen ne sert plus que les effets de torse d'un acteur. Seul lucide, Copeau, dès 1920, considère le vrai problème, qui n'est pas de pièces ou d'auteurs, mais de public. Et prophétise : « Le théâtre du xxe siècle sera chrétien ou communiste. » Il faut s'appuyer sur la foi, ne serait-ce que celle d'un groupe — ou renoncer.

Deux génies antagonistes, Claudel et Brecht, réalisèrent cette prophétie. L'un et l'autre — le poète cosmique du *Soulier de satin* et le fabuliste du *Cercle de craie* — ouvrirent au théâtre d'infinis horizons, l'agrandirent à toutes les dimensions du temps et de l'espace. Seulement cet immense brassage se passa en lieu clos. Le cadre n'en fut point élargi, Comédie-Française ou Berliner-Ensemble. Et maintenant encore, Rodrigue peut donner l'univers à Prouhèze, et les héros brechtiens accomplir de fantastiques voyages de la Rome antique à l'Allemagne de la guerre de Trente Ans, ces randonnées sublimes ne se projettent point dans la cité. Chrétien ou marxiste, le théâtre n'a retrouvé ni les gradins, ni la Fête.

Les dieux sont devenus objets d'art : ils ne vivent plus que dans le musée imaginaire, religion de ceux qui n'en ont pas. La foi chrétienne ? Réduite à une opinion comme les autres, elle ne rassemble plus que ses fidèles particuliers dans le déroulement intérieur de ses rites. La foi marxiste ? Mais qu'aurait-elle besoin de tragédie, elle, antitragique par essence ? Reste la foi humaniste et laïque. Jusqu'à preuve du contraire, elle n'engendre guère d'Œdipes ou de Prométhées : coupée de toute métaphysique, son destin est de prêcher une morale scolaire que ne magnifient ni l'au-delà, ni la révolution ; ses ingrates vertus se confondent avec l'ennui.

Et pourtant, les partisans de l'éclatement du cadre de scène — d'une « tragédie-action », d'un « théâtre total » — donnèrent toutes leurs chances à ces fois successives. On vit Henri Ghéon tenter de ressusciter le mystère chrétien sans autre résultat que de rapetisser à une salle de patronage ce qui, jadis, occupait le parvis des cathédrales ; dans quelques stades transformés en « théâtres du peuple », on enseigna laborieusement l'histoire à des foules résignées ; on fit du théâtre-kermesse, du théâtre-sport, du théâtre-chorale, du théâtre-routier, du scoutisme laïque ou clérical avec descentes de l'acteur dans le public, improvisations et feux de camp. Peine perdue : la société refusait de jouer, le théâtre, même révolutionnaire, gardait la marque bourgeoise de la séparation. Mais le théâtre populaire ?

La vogue des festivals ? Gardons-nous de toute équivoque. Vilar, à Avignon, jouant sur le seul tréteau entre quatre hauts murs, n'a jamais fait que du théâtre fermé à ciel ouvert, ce que ses imitateurs n'ont pas toujours compris : sa réussite fut une réussite de style, la ferveur qu'il suscita fut de nature esthétique, « artiste » : admirable entreprise, capitale même ; mais n'entraînant qu'un public d'amateurs de théâtre, nombreux d'ailleurs et parfaitement organisés. Nous voici loin de la Messe Solennelle, tant espérée et qui devait éveiller les masses, non seulement à la beauté mais à l'action. En fait, ce rêve était à notre époque d'une ingénuité primaire. A la date où j'écris ces lignes, rien ne laisse présager un art dramatique unanimiste : tout, au contraire, retranche le théâtre dans la recherche de laboratoire — j'oserai écrire : dans l'avant-garde, car ce terme si décrié convient, au fond, parfaitement. Le poète de théâtre se voulait aède, il n'est qu'auteur dramatique : du moins, précède-t-il, à la mesure de son talent. Tantôt pour expliquer le marxisme aux marxistes eux-mêmes (Brecht), tantôt pour ouvrir la voie à des formes nouvelles et à des paroxysmes (Beckett, Ionesco). L'unique approche de la tragédie, c'est aujourd'hui *Fin de partie*, c'est-à-dire les lamentations de Job devant un parterre d'intellectuels.

Et Camus ? Au juste, nous ne l'avons pas quitté. Car il vécut intimement l'échec de la tragédie avant de se résigner, scéniquement, à la seule forme dramatique qui convenait à notre temps discontinu — que dis-je : à œuvrer au service d'une foi qui n'était même pas la sienne mais qui lui permettait de retrouver le théâtre, ses secrets et sa grandeur.

L' *État de siège* n'est ni la première, ni la meilleure pièce de Camus, encore moins la plus heureuse auprès du public puisque, représentée pour la première fois le 27 octobre 1948 au théâtre Marigny, elle y subit un cuisant échec. Pourtant, c'est bien à elle qu'il convient de se référer dans une étude sur le

théâtre de Camus, car elle témoigne de son ambition la plus
haute. Apollon, Dionysos... Comment le jeune Camus, dévorant
le message de Nietzsche, ne se sentirait-il pas appelé à lui donner
corps ? La terre où il est né, le siècle où il vit lui apparaissent
éminemment tragiques. Cette terre, c'est presque la Grèce : mer,
soleil, rigueur des contours, lucidité mais aussi ambiguïté de la
lumière qui « à force d'épaisseur coagule l'univers et ses formes
dans un éblouissement obscur ». Quant au siècle, il se trouve
à un tournant qui ferait pâlir celui des guerres médiques : les
Eschyle et les Sophocle de ces années 50 n'ont-ils pas pour
sujets tout neufs le stalinisme et la menace atomique ? Il ne
s'agit de rien de moins que de sauver l'homme de ses propres
tentations : l'oppression, le suicide. Comment ? Par une haute
leçon, mais non partisane, donc non didactique : une œuvre
qui se refusera à la fois à la psychologie et au commentaire
brechtien : « Si tout est mystère, il n'y a pas de tragédie. Si tout
est raison, non plus. La tragédie naît de l'ombre et de la lumière
et par leur opposition. »
Camus semble admirablement préparé à cette tâche. Par son
apprentissage minutieux du métier théâtral. Par son existence
même, tragique elle aussi : douze ans plus tôt, la maladie lui a
imposé la vision de l'absurde. Par son œuvre enfin, qui a
échappé à l'absurde et trouvé des raisons d'être et de s'accepter.
En 1948, un cycle a été bouclé, un autre commence — et glorieu-
sement. Sur le plan du théâtre, *le Malentendu* et *Caligula* ont
épuisé l'absurde, nécessaire préface intellectuelle, et valu à leur
auteur la faveur du public. *La Peste,* premier ouvrage du second
cycle, vient d'obtenir un triomphe. Et voici que, tout naturellement, Jean-Louis Barrault propose à Camus un « théâtre total »
susceptible de conférer à ses sujets et à ses thèmes la dimension dont il rêve : non pas « une pièce d'une structure traditionnelle, mais un spectacle dont l'ambition avouée est de mêler
toutes les formes d'expression dramatique, depuis le monologue lyrique jusqu'au théâtre collectif, en passant par le jeu
muet, le simple dialogue, la farce et le chœur. » Qui résisterait
à cette offre et saurait, même Camus, en déceler les pièges ?

Depuis trois ans à peine, la plus grande guerre de l'Histoire est terminée : des millions d'hommes contemplent avec stupeur les années qu'ils viennent de vivre, l'ébranlement de toutes leurs valeurs, la monstrueuse épée de Damoclès sous laquelle on les invite maintenant à danser. Quelles voix, pour exprimer un tel moment ? Évidemment celles des poètes. Or, c'est en vain qu'on les attend : l'événement-montagne n'a accouché que de philosophes. Franchi l'enfer, se retrouver au café de Flore en compagnie de petits Socrates, quelle dérision ! Camus se lance donc dans l'aventure tragique, la seule qui paraît logique à cette heure. En fait, il y pensait depuis *Révolte dans les Asturies* : pousser le grand cri théâtral qui frémit sourdement dans le subconscient de la foule. Lui aussi n'a oublié qu'une chose : cette foule est sans unité puisque les dieux sont morts.

Raconter *l'État de siège*, c'est raconter son échec. Ni chrétien, ni marxiste, Camus ne peut s'appuyer sur aucun groupe humain capable d'écouter une œuvre dramatique comme une leçon qui le concerne ; contraint à ne mettre en scène que la fin et non les moyens, le voici réduit à exprimer cette « foi laïque » dont j'ai dit plus haut qu'elle n'engendrait point de Prométhées, et pour cause : il n'y a point de Prométhée sans Zeus. Par force, sa tragédie n'est qu'humaniste, donc mutilée. A quoi s'attaque-t-elle ? Au nihilisme, c'est-à-dire à rien. Sans doute lui donne-t-il un ressort puissant, la révolte. Mais pour aboutir à quoi ? A la liberté, c'est-à-dire au plus grand des biens, mais aussi à un lieu commun sur quoi tout le monde se déclare d'accord. Point de conflit : pour qu'il y en ait un, il faudrait que le tyran Peste ait parfois raison, ce qui est impossible. Or, sans conflit, pas de théâtre et surtout pas de tragédie, le propre de celle-ci étant de mettre en scène deux adversaires qui ont raison dans un affrontement inépuisable. Deux adversaires ? Mieux : deux légalités. Mais, dès le départ, Camus nie la légalité du dictateur. La tragédie ? Il est clair que Camus est parti d'elle ; mais en fait, sous sa plume et par le jeu des circonstances, elle a bien vite pris une autre forme. Refusant la psychologie, le commentaire brechtien, la référence à un lieu et à un temps précis, tout l'arsenal anti-tragique, Camus est aussitôt tombé dans l'allégorie. Un Cadix qui n'est là que pour la couleur, bien que l'auteur ait visé Franco ; un tyran qui les résume tous, donc qui n'est personne ; un rebelle (Diego) qui incarne tous les rebelles, donc aucun ; l'anarchiste Nada, la mort... On a reconnu, cette fois, le genre exact de *l'État de siège :* c'est la moralité médiévale, *Condamnation de Tyrannie*, comme jadis *Condamnation de Banquet*. Seulement, au Moyen Age, la moralité s'inscrivait dans un ordre total, humain et métaphysique, l'En-Bas répondant à l'En-Haut qui lui dictait la condition de son salut sur terre et au ciel ; ici, faute de Principe, elle se borne à un impératif civique qui n'est peut-être, après tout, qu'utilitaire, et chacun ressent confusément qu'il était inutile de déranger tant de personnages à majuscules pour nous rappeler les leçons du maître d'école. La tragédie fuyant de partout (la gifle à la Mort n'étant plus qu'une pichenette d'un symbole à un autre symbole), nous en viendrons fatalement à un débat politico-moral, évocateur de tout ce que Camus, justement, détestait.

Car la pièce a, certes, de grandes beautés ; mais isolons ses répliques les plus frappantes, par exemple celles qui dénoncent le tyran Peste (« Il règne : c'est un fait, donc c'est un droit. Son palais est une caserne, son pavillon de chasse, un tribunal. Il fonctionne. Il apporte l'organisation. Le destin s'est assagi, il a pris ses bureaux... ») ; quel son rendent-elles ? Assez ironiquement, celui de l'essai politique et non du théâtre : le ton, en bref, de *l'Homme révolté*. Ainsi, malgré le lyrisme où il baigne (le cri final du peuple : « A la mer ! A la mer ! »), *l'État de siège* n'est pas tellement éloigné de la pièce à thèse. C'est la signature finale de l'échec : en se livrant à la transposition allégorique, Camus a rejoint sans le vouloir l'Avocat, le Médecin ou le Prêtre des Brieux et des Lavedan, eux aussi coupés des réalités et discutant en redingote à l'avant-scène. Car la véritable tragédie était, elle, précisément située : *Prométhée, Antigone, Œdipe* (à Thèbes ou à Colone), *les Perses, les Sept contre Thebes*... Des lieux historiques, des événements connus de tous.

Alors, aucune transposition ? Au contraire, la littérature du siècle en regorge; mais dans les livres et non sur les planches. Le monde kafkaïen, hallucinant à la lecture, ne devient plus qu'un pauvre décor au théâtre, même signé Labisse et animé par Barrault. Mais pourquoi quitter Camus? On lui doit l'unique tragédie de l'occupation et de la Résistance, l'unique œuvre d'art qui distancie ces événements et les élève jusqu'à la fable, déplace ses années sombres dans le temps et dans l'espace et par là, éclairant l'Histoire, les rend reconnaissables à toutes les générations : le voilà le spectacle total, il s'appelle *la Peste*. L'a-t-on remarqué? Tragédie jusque dans son découpage en cinq grands chapitres — comme les cinq actes traditionnels de la tragédie classique — *la Peste* ignore le mot « roman » sur sa couverture : c'est qu'elle se sait une chronique dramatique, un théâtre enfermé dans un livre. Rien n'y manque : plantation du décor (Oran), lever du rideau sur les personnages, fatalité des portes closes (la ville pestiférée se referme sur nous comme une salle de théâtre après les trois coups), narrateurs faisant office de chœur, gradation d'une action éminemment dramatique, et jusqu'au fléau de l'épidémie qu'on entend battre le ciel au-dessus des acteurs, telle une sonorisation pathétique en coulisses. Pourquoi une réussite, ici, et là, un échec? Absence des dieux, toujours. Désincarnés, ils ne font plus le poids au théâtre et ont emporté avec eux la tragédie; mais ce qu'il reste d'eux vit en nous, dans nos méditations, notre imagination, nos angoisses; seuls devant un livre avec la métaphysique — car en dernier ressort, avec ou sans dieux, l'homme est un animal métaphysique — nous don-

Jean-Louis Barrault

nons à l'action racontée cette part d'ombre et d'au-delà que les
lumières du théâtre ont dissipée. Le seul public de tragédie est
aujourd'hui un lecteur isolé. Sous les pleins feux de la scène,
Zeus, trop réel, est incroyable ; dans les pages d'un livre, il
s'adresse encore à nous, travesti en mots évocateurs.

De toute manière, la tentative de *l'État de siège* — une des plus
ambitieuse et des plus hardies du théâtre de ces vingt dernières
années — était vouée à sombrer dans les ors et velours du
Marigny, devant un Tout-Paris irrémédiablement futile. N'en
accablons pas Barrault : encore que sa théorie du « théâtre
total » soit discutable, dès qu'il eut une vraie messe à célébrer,
il y réussit : mais alors, il s'agissait de *Christophe Colomb*, appuyé
sur un Dieu précis, une Église et des dogmes. Quant à *l'État de
siège,* la pierre de touche définitive sera pour lui une représentation de plein air — ou de « faux plein air » — animée par un
régisseur de l'envergure d'un Vilar. Mais ce ne sera jamais
qu'un beau spectacle, et non la tragédie populaire de la liberté
dont rêvait son auteur.

P aradoxalement, les seules chances de Camus au théâtre lui
étaient données par l'absurde : l'unique sentier à suivre —
mais fort loin de la grand-route unanimiste — celui qu'emprun-
tèrent Beckett et Ionesco. La question n'était pas d'élargir le
théâtre, mais de le nier. Non le théâtre total, mais l'a-théâtre.
Non la messe populaire, mais la dérision en huis clos.

Mais à quoi bon de vains regrets ? Camus ne pouvait écrire
Godot. Né à une époque transitoire, il avait hérité un théâtre
traditionnel qu'il ne lui appartenait pas de disloquer : prisonnier de ses formes, il ne pouvait que lui rendre un peu d'honneur. D'ailleurs, Camus est un auteur clair. Le mystère du
monde appelle moins chez lui un enfouissement lyrique qu'une
tentative d'explication. Il tient l'inconnaissable à distance ;
jamais il ne franchit le seuil interdit au-delà duquel la lucidité
est paralysée. Rappelons-nous *l'Étranger* et les « coups sur

la porte du malheur» qui frappent Meursault parce qu'il a
commis l'erreur — ou la faute — de faire « le pas en avant »,
d'entrer dans l'inhumanité du Soleil. Au théâtre, Camus, par
tempérament, ne se plongera pas davantage dans l'absurde :
il se contentera de l'apprivoiser.

Dans *le Malentendu*, l'absurde est le destin même, mais désigné,
extérieur : jamais il ne fait osmose avec le public. Un « tragique
dérisoire » n'eût assurément pas pris la peine d'inventer le valet
qui ne répond aux appels de Martha que pour garder le silence
(la sonnerie fonctionne, mais lui ne parle pas) ; il s'en fût tenu
à la situation, la non-reconnaissance de Ian par sa mère et sa
sœur, son meurtre ; il en eût fait un quiproquo exemplaire, sec
comme une épure. Il eût aussi probablement tiré parti du
baroque de cette situation — et du décor : l'auberge tchèque.
Il eût essayé de nous troubler malgré nous (ainsi Durrenmatt,
dans ses meilleures pièces, *la Vieille Dame, Mississipi :* tout
commence « naturellement » et peu à peu l'incroyable prend
possession de nous, telle une eau qui monte). Camus, lui, part
une fois de plus de l'allégorie et la commente. Mais du fait que
cette allégorie reste sage, démonstrative (au contraire d'un Durrenmatt, d'un Max Fritzch qui lui lâchent la bride), *le Malentendu*
présente un aspect « voulu », « fabriqué » : trop souvent l'auteur
y parle à la place de ses personnages. Par bonheur, *Caligula*
allait nous restituer des données dramatiques infiniment plus
efficaces.

Cette fois, l'absurde n'est plus montré, mais agi. Il s'incarne
dans un personnage en conflit avec tous les autres. Ce personnage a tort et raison à la fois. Nous l'aimons et le haïssons tour à
tour. Que dis-je : il nous entraîne dans des affirmations (« Il n'y
a pas de grande passion sans cruauté ») auxquelles nous sous-
crivons dans la pénombre de la salle pour les abandonner à
notre plus grande honte et en toute hâte, dès qu'aux lumières
l'auteur précise ses intentions. Nous avons été victimes, nous
avons cru au héros dans la mesure où il croyait en lui-même,
nous avons improvisé avec lui le drame de l'absurde vécu. Quel
vertige! Eh quoi! Nous étions complices de Caligula? Nous

riions quand il assassinait le vieux Mereia, quand il obligeait les
sénateurs à prostituer leurs femmes ou à courir autour de sa
litière, quand il décrétait que pour enrichir le Trésor les patriciens fortunés devaient déshériter leurs enfants, tester en faveur
de l'État puis être aussitôt supprimés « dans l'ordre d'une liste
établie arbitrairement car si le Trésor a de l'importance, alors,
la vie humaine n'en a pas ? » Ah, certes, nous voici loin du
Malentendu ou de *l'État de siège,* simplement regardés comme
objets de théâtre en vitrine : nous voici cette fois complices, par-
ticipants. *Caligula* est la grande réussite dramatique de Camus.
Et il n'est guère malaisé d'en expliquer les raisons : *Caligula*
obéit instinctivement à toutes les lois du théâtre. D'abord, au
lieu et au temps précis, suffisamment éloignés de nous, suffisamment présents à notre mémoire, mi-historiques, mi-légen-
daires : la Rome des Césars où tout est possible, puisqu'il s'agit
d'un siècle pourrissant, donc essentiellement théâtral. Dès le
lever du rideau, nous sommes doublement au théâtre : l'époque
choisie ne vit pas l'Histoire, trop vieille pour elle, mais la parodie ;
le personnage central se tient en représentation. Personnage
ambigu : est-il fou ? Nous le souhaitons confusément afin de
l'admettre sans remords, tout en reconnaissant qu'il n'y a nulle
folie dans son effrayante logique ; cependant, nous brûlons
qu'on nous l'explique et le démonte. Et puis, il est beau. Et
noble, et même génial. Et il souffre. Ne ressemble-t-il pas à
Hamlet, comme lui jeune et pur, nourri de pieux enseignements
livresques et soudain traumatisé par un spectre ? Sur la terrasse
d'Elseneur, le prince découvrait les réalités de ce monde, irré-
ductibles à tout ce qu'on lui avait enseigné à Wittenberg ; sur
sa terrasse romaine, c'est un pareil message que l'empereur
déchiffre, la mort de Drusilla. S'ensuivent la soif d'action,
l'action et, naturellement, le saccage : Caligula détruit tout et
lui-même, à la manière dont Hamlet, pour venger son père,
ne parvient qu'à tuer dérisoirement un autre père, Polonius.
Le ressort est bandé, le drame part comme flèche. Comble de
chance, le clair-obscur restera préservé jusqu'à la fin ; tout sera
moins dit que suggéré, avec les mots d'ombre nécessaires ;

l'affrontement décisif aura lieu entre deux poètes, celui de l'action, celui du verbe, Caligula, Scipion ; une tendresse constante survivra aux pires crimes ; et entre-temps, nous nous reposerons sur la sagesse de Cherea, de toute la pièce le personnage qui nous ressemble le plus et qui nous est le moins aimable. Parfait accord d'un sujet et d'un thème.

Caligula règle d'un trait tous les problèmes allusifs posés à l'auteur dramatique : on y trouve une méditation sur la condition humaine en même temps qu'une référence à notre temps. Miracle d'une forme exacte, comme est exacte la forme des *Justes*. Ici, l'Histoire ne souffrait point de transpositions : elle offrait à Camus du « tout-fait », un épisode immédiatement transcriptible. Camus n'invente pas Kaliayev, il le rencontre. Je n'insisterai pas sur le contenu de ce drame qui résume l'attitude politique de Camus, sujet d'autres chapitres de cet ouvrage. Théâtralement, les « assassins délicats » constituaient d'admirables personnages dont l'auteur tira le meilleur parti. *Les Justes* sont une pièce à succès, une bonne pièce, coulée dans un moule traditionnel qui, ici, s'imposait. Elle honore une œuvre dramatique : je ne gagerais pas qu'elle ait pleinement satisfait les ambitions de Camus. En tout cas, la suite montra qu'il n'avait rien abdiqué de ses ambitions, qu'il poursuivait toujours la tragédie et qu'il était prêt, pour elle, à une entreprise inattendue : le retour à l'artisanat et la mise en scène de pièces chrétiennes.

R ejetons toute équivoque : Camus n'est ni un libre penseur chargé de régler son compte au christianisme, ni un chrétien qui s'ignore tournant autour de la croix. Un écrivain universel hérite une culture millénaire et en assume les contradictions : admirer saint Thomas n'est pas entrer en religion et je ne sache pas que le refus de la messe implique le mépris des cathédrales. Que Camus ait monté des pièces chrétiennes, rien donc que de naturel — ainsi que la réminiscence chrétienne courant au fil de son œuvre littéraire, ne serait-ce que dans ses titres : *les Justes, la Chute, l'Exil et le Royaume* — et lui-même s'en est expliqué avec humour : « On remarquera que si je traduisais et mettais en scène une tragédie grecque, personne ne me demanderait si je crois en Zeus » (préface à l'édition française de *Requiem*). Cependant, il y a bien une raison pour monter une telle œuvre et non telle autre. Et lorsque, en 1953, Camus revient brusquement au théâtre en tant qu'animateur, il est significatif qu'il choisisse *la Dévotion à la Croix,* c'est-à-dire un drame chrétien paroxystique, et plus tard, à Paris, *Requiem pour une nonne,* de Faulkner.

Apparemment, c'est un concours de circonstances — entre autres, la maladie de Marcel Herrand, codirecteur artistique du festival d'Angers — qui ramène Camus au métier théâtral. D'ores et déjà sa décision est prise et, sans doute, son programme de travail élaboré; mais un an plus tard, la guerre d'Algérie éclatera et le poussera encore davantage à se réfugier dans le théâtre comme on se retranche dans le monde clos de la création à l'heure où toute action est impossible sans malentendus. N'oublions pas qu'à cette époque, Camus sent littéralement sa patrie algérienne se dérober sous ses pieds et que tout ce qu'il dit et écrit porte la marque de la situation fausse et de l'exil. Songeons aussi au puissant attrait du théâtre et au bonheur qu'il donne (le mot « bonheur » vient tout naturellement sous la plume de Camus quand il en parle). Cette raison a son importance pour un homme qui n'a jamais nié sa quête perpétuelle du bonheur. C'est que le théâtre est un univers privilégié au seuil duquel le monde s'arrête; le temps même y coule à une autre mesure; et ce royaume d'innocence est aussi — ce qui ne pouvait que séduire Camus — un royaume de justice immédiate, fondé sur une représentation exemplaire dépouillée des contingences et où toutes choses se construisent, se concrétisent et signifient. En somme, un lieu et un temps parfaits.

Mais enfin ce retour de Camus aux sources de « l'Équipe » ne dissimule pas plus une fuite qu'il ne comble une simple délectation personnelle : il marque un palier et comme un second départ — hélas, brutalement interrompu. Camus se retrouve à pied d'œuvre, comme en ses jeunes années, afin de tenter de résoudre, pour lui et pour d'autres, le problème du langage tragique de notre siècle. Je n'oserais publier cette affirmation s'il ne m'en avait fait la confidence quelques mois avant sa mort. C'était à Suresnes, où il mettait en répétition la tournée provinciale des *Possédés*. André Malraux venait de lui promettre officieusement la direction d'un théâtre parisien et Camus s'interrogeait encore sur sa réponse. Il daigna, non, certes, me demander conseil, mais rêver tout haut devant moi. Un théâtre clos, comme le Récamier ou l'Œuvre ? N'était-ce pas un enlisement ? Ne valait-il pas mieux œuvrer en plein air puisque « l'important est de former des auteurs et que rien ne vaut pour cela la dramaturgie du festival » ? J'avais là-dessus une opinion différente pour les raisons que j'ai données plus haut et qui partent d'une dimension non extérieure mais intérieure du théâtre. Je lui expliquai que « théâtre populaire » signifiait à mon avis « théâtre ouvert à tous » et non théâtre de masse : une avant-garde sans distinction de classes ; mais qu'au surplus il avait raison de se méfier de Paris parce que les conditions du théâtre y deviennent d'année en année plus difficiles tandis que la province offre un public neuf et d'excellentes possibilités de travail et de répétitions. Camus éleva aussitôt le débat : le grand théâtre, quels que soient son lieu et sa forme, ne pouvait être que celui où l'homme affronte plus que l'homme. Toute querelle entre l'homme et l'homme ne produit plus que didactisme, bourgeoisisme ou esprit de système. Mais avec qui dialoguer désormais ? La Nature, l'Histoire ? Ce jour-là, je compris, ou crus comprendre, que Camus, en mettant en scène *la Dévotion* ou *Requiem,* était humblement revenu à des sources taries du théâtre, non pour raviver une religion éteinte chez tant de gens, mais pour se retremper dans les conditions élémentaires de la dramaturgie : le reflet d'un monde ordonné par une loi morale.

Car tout est là : un monde soumis à une loi que le théâtre explicite jusque dans les nécessaires révoltes qu'il met en scène. Si la tragédie est morte, c'est que nous vivons en un temps de comédie où tout le monde a raison et tort et sécrète son éthique particulière au jour le jour. Dans le monde de la tragédie, le seul crime, au fond, est la distraction : ainsi Créon, dans *Antigone*, n'est-il coupable que d'un oubli, l'oubli de la loi des dieux, et ceux-ci, en le frappant, réveillent sa mémoire. Dans le monde de la comédie, au contraire — ce monde de dispersion où nous sommes — la culpabilité n'est plus qu'une chose vague, relative, dépendante d'un judiciaire misérable, soumise à des impératifs momentanés : on y meurt non seulement seul, mais sans savoir, simple matière première de l'ordre économique transmis en termes de morale. Or, la fonction du théâtre tragique étant de dresser entre le ciel et la terre un constant rappel de la loi — fût-ce, je le répète, pour la blasphémer — il retombe à la comédie bourgeoise dès que la loi s'estompe. Kaliayev lui-même, l'héroïque Kaliayev, ne finit réconcilié qu'avec lui-même et avec son crime : le code de la révolte qu'il vient d'établir n'est valable que pour ceux qui acceptent d'y croire et la révolution le démentira. En bref, que manque-t-il au monde et au théâtre contemporains ? Ces « étoiles fixes » que Camus évoquait dans *l'Homme révolté* et qui brillent dans le ciel tragique, au-dessus d'Eschyle, de Sophocle, de Shakespeare — et de Calderon, et de Faulkner.

Quant à *Requiem pour une nonne*, il n'apparaît pas invraisemblable que Camus, indépendamment de son admiration pour Faulkner, ait été fasciné par la forme de ce « roman-théâtre », invention technique très inattendue, unique chez son auteur et pourtant tout le contraire d'un caprice. J'ai dit plus haut pourquoi le livre atteint à la dimension tragique plus facilement que le théâtre : *la Peste,* plus tragique que *l'État de siège* — et *la Chute,* plus que tout autre ouvrage de Camus. On peut presque rêver d'un théâtre que Camus aurait écrit ailleurs qu'au théâtre : imaginer par exemple une sorte de jeu dramatique qui mettrait en scène le procès de Meursault ou le « réquisitoire pénitent » de Clamence. Dramatiquement, ce serait la même situation, simplement inversée : dans le premier cas, une foule d'acteurs bavards, témoins, juges, prêtres, devant un accusé muet ; et dans le second, un acteur monologuant devant un public de muets — nous — jusqu'au point de rupture où le specta-teur étant devenu le reflet exact de Clamence franchirait moralement la rampe. L'essai sera-t-il un jour tenté ? Espé-rons que non : on ne transvase pas impunément un genre dans un autre. Mais *la Chute* donne à croire que Camus «brûlait» et n'était peut-être pas si éloigné de réussir le difficile passage de la présence tragique du livre au plateau. C'est-à-dire quoi, en somme ? Précisément, ce que Faulkner avait réussi avec *Requiem pour une nonne*. Car le fait est : en poursuivant l'histoire de Tem-ple Drake, en lui donnant des

William Faulkner

prolongements, en élevant un morne fait divers de viol et de bordel à la dialectique du salut — le salut de Temple par Nancy, le salut de l'Amérique par les Noirs — Faulkner avait tout naturellement suscité le théâtre au bout de sa plume : *Sanctuaire* n'est que «l'intrusion de la tragédie grecque dans le roman policier», *Requiem* est une tragédie tout court. Seule-ment, une fois de plus, les conditions y sont : la loi, l'indi-vidu à la fois ordonné par elle et en rébellion contre elle et, à l'intérieur de cette admirable contestation, toutes les construc-tions possibles du génie. La mort de Camus nous réduit à une hypothèse : j'ose écrire pourtant qu'elle a probablement tué moins un essayiste et un romancier qu'un dramaturge. Et il ne nous reste plus qu'à porter un jugement sur ses ultimes travaux, non de poète mais d'artisan.

Dès le premier soir du festival d'Angers, il apparut que Camus ne s'était pas engagé à la légère : sa mise en scène de *la Dévotion* était une performance audacieuse mais rigoureusement ordonnée. Sans doute on y pouvait relever quelques défauts : emploi excessif de figurants non professionnels, abus du décor naturel (la descente de Maria Casarès au bout d'une corde contre les murs constituait un exercice physique en soi, distrayant l'attention de la pièce); mais l'essentiel y était, homogénéité du spectacle, parfaite direction des acteurs. Une mise en scène ne consiste pas à régler des places, comme on le croit communément. Parmi les qualités nécessaires à un «régisseur» on doit citer dans l'ordre : 1º l'intelligence de la pièce choisie et la faculté d'en transmettre le sens précis et profond aux comédiens; 2º le sens du rythme du spectacle (axé sur ce que Stanislavski appelle la «ligne de force», l'élément dominant reconnu et systématisé); 3º la perception d'une thématique générale; 4º l'imagination dans le détail (toujours accordée à la logique des gestes et du dialogue); 5º enfin, seulement, les places, d'ailleurs logiques et naturelles, telles que l'acteur ne peut pas ne pas s'y inscrire. Camus connaissait à fond toutes les règles de cette «activité originale». Il choisissait ses comédiens en fonction de leur rareté (à une époque où, à cause du trop petit nombre de répétitions, on les choisit habituellement pour leur simple aisance en scène) et parce qu'il voulait, non «régner sur le vide», mais œuvrer en communauté, il savait se faire aimer d'eux, à quoi sa gloire n'eût pas suffi.

La seule erreur scénique de Camus fut de monter *Caligula* à Angers : étrange entreprise, en vérité, une conspiration feutrée sous les Césars jetée aux quatre vents d'un château Renaissance. Cette année-là (1957) le meilleur spectacle du festival fut *le Chevalier d'Olmedo* accueilli, je ne sais pourquoi, par une critique assez froide. La pièce conte une très simple, très brève et très belle aventure : un jeune homme noble et beau vient assister à une fête de village, y rencontre une jeune fille, s'éprend d'elle, en est aimé; au retour un jaloux l'attend en chemin et l'assassine. «Journée» fulgurante, d'une admirable pureté de lignes et que Camus inscrivit dans le temps d'une nuit musicale.

Mais l'hiver précédent, avec *Requiem,* n'avait-il pas fait ses meilleures preuves de metteur en scène professionnel?

Citons Vilar : « A deux ou trois exceptions près, je crois avoir assisté à tous les spectacles d'Albert Camus. Son travail sur le *Requiem* m'émerveilla. Pour de multiples raisons, certes. Mais celle qui m'obsède et reste encore toute fraîche dans ma mémoire, ce fut la très subtile conduite des acteurs. Ce soir-là, l'œuvre avait dépassé la centième représentation : rien cependant n'était pesant, las ou abandonné... » La pièce, embrayant directement sur *Sanctuaire,* était tout en récits : Camus évita cet écueil en systématisant le statisme du spectacle ; il conçut un décor à transformations, d'une simplicité étonnante, basé sur l'emploi de rideaux noirs, limité aux accessoires strictement indispensables (le plus

Jean Vilar

important, la cigarette dont Catherine Sellers joua admirablement pendant sa confession) ; il évita le mélodrame en exigeant des interprètes le minimum de mouvements, le maximum de tension intérieure. La preuve de l'excellence de cette mise en scène — appuyée, il est vrai, sur une adaptation de véritable homme de théâtre ne répugnant ni aux contractions ni aux coupures — fut d'ailleurs donnée *a contrario* par celle de Piscator présentée peu après au théâtre des Nations. Piscator, lui, n'avait rien coupé, fidèle à Faulkner jusqu'à l'infidélité, et son spectacle « sortait » lourd, indigeste, didactique. On le sentait mal à l'aise dans cette tragédie chrétienne qu'il essayait désespérément de tirer vers le social et qui était manifestement une commande de l'Allemagne de l'Ouest à ce vieil homme, père du théâtre brechtien, mieux fait pour œuvrer de l'autre côté du Mur. *Requiem pour une nonne* fut un immense succès et encouragea sans doute Camus à réaliser enfin un de ses rêves : porter *les Possédés* à la scène. Cette fois encore, coupures et contractions : bien que la pièce durât quatre heures (la longueur d'*Hamlet* dans une représentation française normale), des

Camus dirigeant une répétition

chapitres entiers du livre devaient être sacrifiés. Le bal du Gouverneur disparut (et le Gouverneur lui-même), le personnage de Lisa Drozdov fut allégé, un narrateur se chargea en quelques répliques du récit de la vie de Stépan Trophimovitch chez Elisabeth Prokofievna, enfin, seule contraction vraiment regrettable, mais nécessaire, la mort de Chatov, en passant du temps romanesque au temps scénique, perdit de sa tension et de sa beauté.

Pour tout le reste, Camus s'était effacé devant Dostoïevski. Son travail de régie consista principalement à imprimer un rythme rigoureux à ce spectacle forcément découpé en tableaux et corseté de décors mobiles (en terme de métier, des «tournettes »). Par la suite, les deux entractes furent réduits à un seul et, dans une distribution renouvelée mais toujours dominée par Pierre Blanchar, partit en tournée en province et dans les pays de langue française.

Décembre 1959. La tournée joue à Marseille ; Camus, venu de Lourmarin, est dans la salle. Mêlé au public, il surveille attentivement la représentation, songeant aux « raccords » qu'il faudra peut-être faire pour maintenir le rythme du spectacle : un photographe de la presse locale le « flashe », et ce sera la dernière photo prise de lui. 4 janvier 1960 : la tournée est maintenant à Tourcoing. A 16 heures, Pierre Blanchar apprend par l'Agence France-Presse la mort de Camus. On joue tout de même ce soir-là : c'est le meilleur hommage que des comédiens puissent rendre à l'un de leurs maîtres et amis. Le lendemain et les jours suivants, des lettres

Pierre Blanchar

de Camus, postées de Lourmarin, continuèrent d'arriver. C'était le temps des vœux et ces lettres disaient : « Courage. Bon travail. Je ne vous oublie pas. Je suis avec vous. » Elles répondaient au bulletin de service que Camus faisait afficher quand le spectacle se déroulait sans lui et qu'il avait intitulé « Prières de l'absent ». Des indications de rythme toujours : « La pièce doit débuter en feu d'artifice, continuer en lance-flammes, s'achever en incendie... »

Huit jours plus tard, accompagnant la tournée des *Possédés* et bloqué avec elle à Alger à la veille des Barricades, je profitai avec quelques comédiens d'un soir de relâche pour aller au cinéma : en plein visage, ivres de chagrin, nous reçûmes l'enterrement de Lourmarin, la descente dans la fosse... A quelques semaines de distance, Camus rejoignait sous la terre son inoubliable interprète de *Caligula,* Gérard Philipe. Au-delà de «l'aventure horrible et sale» reste l'œuvre : riche de pièces qui seront jouées longtemps car leurs thèmes se nourriront de tous les drames futurs de l'Histoire et leur profondeur, leur sincérité, leur refus de l'esprit de système sont autant de défenses contre la mode et l'oubli. Dans ces quelques lignes j'ai tenté, hâtivement et bien incomplètement, de rendre justice à l'autre face d'un auteur, celle que les histoires de la littérature connaîtront mal : sa parfaite connaissance du métier dramatique et sa quête héroïque et secrète d'une dimension que le siècle n'accorde pas au théâtre car il l'ignore lui-même. Vienne le temps de la tragédie, celui de l'homme qui s'accepte au sein d'un bien et d'un mal reconnus, seul moteur des vraies révoltes, celles qui font progresser le monde et non celles qui le ramènent aux anciennes tyrannies !

M. L.

L'impasse algérienne

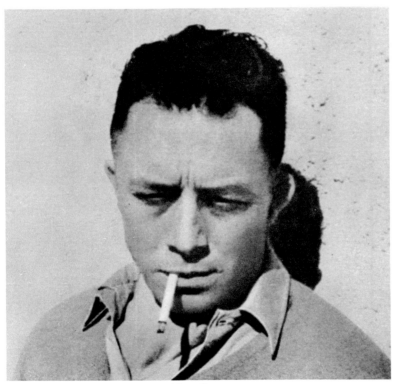

Albert Camus

Regroupement de population

L'Algérie est le théâtre d'une guerre dont l'enjeu est moins la conquête du sol que celle, par la force ou la persuasion, des hommes. Chaque village est occupé militairement, les populations musulmanes déplacées et regroupées selon des impératifs psychologiques plus que stratégiques. Au début de l'insurrection qui a éclaté le 1er novembre 1954 par des attentats simultanés dans le Tell, l'Aurès et la Grande Kabylie pour s'étendre rapidement à l'ensemble du pays, il n'y avait sur place qu'une armée de 50 000 hommes. Dès 1956, 400 000 hommes et des harkis recrutés localement s'efforcent en vain d'y rétablir l'ordre. Pour parachever la pacification entreprise par l'armée, le gouvernement français nomme en Algérie des gouverneurs généraux connus pour leurs idées libérales, mais Jacques Soustelle aussi bien que Robert Lacoste deviendront rapidement des partisans convaincus de l'Algérie française.

Arrestation de deux suspects

...uérilla où l'homme traque l'homme...

Opération de contrôle dans une mechta

L'Armée de libération nationale algérienne a longtemps passé, aux yeux de l'opinion française, pour une poussière de « bandes » plus ou moins armées, disséminées sur tout le territoire. Officiellement, il n'y a pas d'ennemi, mais des rebelles ou des terroristes. Certains journalistes pourtant révèlent l'organisation de cette armée. L'Algérie est divisée en willayas, régions militaires où de petits groupes munis d'un armement léger et moderne, se répartissent les secteurs, kasmas, correspondant aux postes français. Leur infériorité numérique est compensée par la fluidité et l'autonomie d'action, qui les rendent insaisissables. La hiérarchie, calquée sur celle de l'armée française, se double d'une organisation politique établie dans les douars, qui se charge du ravitaillement et des liaisons entre unités.

Un soldat de l'A.L.N. en embuscade

... la fièvre des manifestations...

Manifestation F.L.N.

A l' « Algérie musulmane » des Arabes s'oppose l' « Algérie française »
des Pieds noirs qui, le 6 février 1956, ont contraint le président du
Conseil, Guy Mollet, à renoncer à la politique de conciliation et de
réformes dont il avait chargé le général Catroux au lendemain des
élections de janvier 1956. Autour de ces deux slogans scandés à chaque
manifestation et proclamés sur des banderoles, se cristallisent les passions, vite muées en haines. Le fossé se creuse entre les deux communautés dominées par les extrémistes des deux bords. Le conflit se fait
social. C'est l'heure du désespoir et « le désespoir c'est la guerre ».

Manifestation d'Européens

... déchaînent la violence et multiplient les horreurs.

Attentat F.L.N. à la bombe au ravin de la Femme sauvage, à Alger

Les attentats portent la guerre parmi la population civile, frappant indistinctement des innocents arabes ou européens. « Dans la même journée, écrit Camus, voici la lettre d'un instituteur arabe dont le village a vu quelques-uns de ses hommes fusillés sans jugement, et l'appel d'un ami pour ces ouvriers français tués et mutilés sur les lieux mêmes de leur travail. » Désespéré il constate : « On dirait que des fous, enflammés de fureur, conscients du mariage forcé dont ils ne peuvent se délivrer, ont décidé d'en faire une étreinte mortelle (...). Incapables de s'unir, ils décident au moins de mourir ensemble. »

Une victime des « ultras »

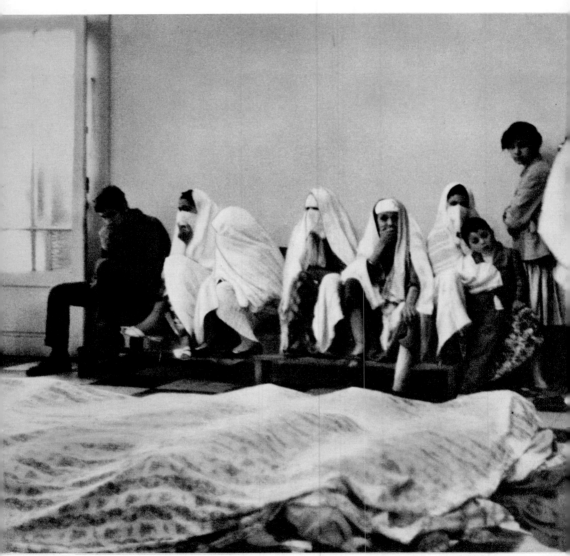

La morgue d'Alger

« Chaque mort sépare un peu plus les deux populations ; demain, elles ne s'affronteront plus de part et d'autre d'un fossé, mais au-dessus d'une fosse commune. » Il faut mettre fin à cette démence : c'est le thème de tous les articles de Camus dans l'hiver 1955. Prouver au gouvernement et aux Européens la nécessité de réformes libérales, convaincre les Arabes des droits de la communauté française d'Algérie, tels sont les buts qu'il s'assigne. Plaidant la cause des civils, Camus semble croire que de l'accord sur une trêve pourrait naître un véritable parti constitué de modérés capables d'édifier une Algérie nouvelle.

Enterrement d'Européen à Oran

« L'Express »

Le croyait-il encore, quand, le 22 janvier 1956, il prononça à la radio d'Alger son « Appel pour une trêve civile » ? Camus n'espère plus un arrêt des hostilités, il attend simplement que les autorités françaises, d'une part, les nationalistes algériens de l'autre, « sans avoir à entrer en contact ni à s'engager à rien d'autre, déclarent, simultanément que, pendant toute la durée des troubles, la population civile sera, en toute occasion, respectée et protégée. » Ce sera sa dernière intervention publique sur l'Algérie avant la publication d'« Actuelles ». Cessant sa collaboration à « l'Express », Camus rentre dans le silence.

Fils de cette race menacée d'être arrachée à sa patrie,

Camus vit « le malheur algérien...

Le monument aux morts de Boufarik

La maison du colon de Mascara

L'église d'un village oranais

Les Français d'Algérie « sont, eux aussi, et au sens fort du terme, des indigènes » affirmait Camus. Ils ne sont pas tous « des colons à cravache et à cigare montés sur Cadillac » mais, pour la plupart, des petites gens laborieux isolés dans leur bled ou groupés dans leurs villages, autour du monument aux morts, de la coopérative agricole et de l'église, sur la petite place ombragée. Nés sur cette terre qu'ils ont enrichie à force d'énergie et d'endurance, les Européens voudraient continuer à travailler et finir leur vie en paix dans « ce pays éclatant où tant de forces sont encore intactes ».

Un fermier européen au travail

... comme une tragédie personnelle ».

La mère de Camus

*La mère de Camus demeura en Algérie pendant la durée de la guerre.
Cette vieille femme solitaire, silencieuse, qui partageait avec des milliers
de civils l'angoisse d'une guerre atroce, peut être prise pour symbole du
déchirement de Camus. Choisit-on contre sa mère, peut-on accepter,
même au nom de la justice, de se voir arracher à cette autre mère que
représente la patrie ? « J'ai aimé avec passion cette terre où je suis né,
dira simplement Camus, j'y ai puisé tout ce que je suis, et je n'ai jamais
séparé dans mon amitié aucun des hommes qui y vivent de quelque race
qu'ils soient. »*

Un appartement mitraillé

Une manifestation dans les rues d'Alger

CHAPITRE VI

La tragédie algérienne

PAR JULES ROY

L es intellectuels de gauche ou de droite, si divisés qu'ils soient, peuvent discuter de sang-froid du drame algérien. Pas moi. Il m'arrive encore de quitter la table où j'ai été convié par des amis quand des révolutionnaires du xvie arrondissement me reprochent mon attitude passée. J'admire qu'on puisse parler de l'Algérie française comme d'une vieille cousine de province défunte, ou de l'Algérie socialiste comme d'une ancienne petite amie qui a mal tourné. Ni Camus ni moi n'avons jamais pu pratiquer ce cynisme délicat ou cette désensibilisation chimique. On ne traite pas certaines images du souvenir à la lumière artificielle. Évoquer l'Algérie, sa beauté et les souffrances que tant d'hommes et de femmes des deux communautés y ont connues, me fera toujours battre le cœur.
Le drame que vécut Albert Camus avec la guerre d'Algérie,

c'est le mien.. Voilà pourquoi je suis contraint de replonger dans mes angoisses pour éclairer les siennes. Ceux qui nous condamnent l'un ou l'autre ne sont pas les mêmes, mais leur aveuglement refuse d'admettre les raisons qui nous ont conduits à l'opposé l'un de l'autre pour nous retrouver finalement, à peu de chose près, au même point de désespoir. Quelle que soit l'amitié qu'on puisse me manifester en Algérie quand il m'arrive d'y retourner, je ne retrouve plus ma patrie en cette terre où les miens ne seront bientôt plus que dans les cimetières, et la France n'est à mes yeux que la maison de mes ancêtres, les Gaulois; le rire n'éclate en moi qu'en compagnie de quelques exilés de mon espèce, qui sauront conquérir à leur tour une métropole froide et constipée, mais rêveront toujours de retourner mourir chez eux, au soleil.

En 1955, j'avais publié, dans *l'Express,* un article qui contenait en germe le livre que j'allais écrire cinq ans plus tard, et qui fit scandale. Une phrase qu'on prit soin, dans les milieux fascistants, de dépouiller de son contexte, me voua aux gémonies d'une droite qui s'obstinait à confondre le maintien de l'autorité française avec celui de l'injustice française. J'écrivais : « Si j'étais musulman, ce n'est pas de notre côté que je serais mais dans le maquis. Je refuserais d'égorger des innocents, car cela est de la lâcheté et de la barbarie, mais je serais dans le maquis. » J'avais déjà éprouvé ce sentiment en Indochine, en 1952, quand je marchais, derrière les troupes au contact, dans les villages grillés par le napalm et que j'observais les troupeaux de paysans qu'on rassemblait sous la menace des mitraillettes avant de les interroger. Si j'avais été Vietnamien, je ne me serais pas trouvé parmi les Français, et je comprenais pourquoi, quand on était né dans la plaine de Hanoï, on rejoignait les rangs du Viet-minh. Je savais aussi quel langage on pouvait tenir à des rebelles et quelle attitude adopter devant eux. Croire que l'Occident n'avait apporté à ses colonies que le meilleur de sa civilisation, c'était se contenter de ces bonnes raisons qui permettent, par temps de famine, de garder bon appétit devant une table bien garnie et de dormir au chaud sous un toit quand les calamités ont détruit un pays. Les routes, les hôpitaux, les dispensaires et les écoles, ce n'était pas suffisant pour mériter, *in aeternum,* la reconnaissance des pays sous-développés sur lesquels s'établissaient un grand nombre de fortunes. Je ne condamnais pas pour autant en bloc le million d'Européens établis en Algérie, sous l'égide du gouvernement français, et devenus une minorité ethnique qui possédait elle aussi son droit à la vie. Camus me dit : « Tu y vas peut-être un peu fort, mais tu as raison d'écrire ça puisque tu le penses. Et toi, je te connais... » Il n'ignorait pas que ce cas de conscience m'avait fait quitter l'armée, trois ans plus tôt, en silence.

Ne me sentant pas de taille à tenir tête à tous les imbéciles et à tous les professeurs qui décidaient de l'attitude à adopter devant le drame algérien, je m'effaçai devant Camus. Révolté contre la façon dont les Français d'Algérie traitaient les Arabes, révolté contre les gouvernements qui cédaient toujours devant les puissances locales, il avait, le premier, dénoncé l'injustice et dit son fait à la sottise nationale. L'explosion de la rébellion et la guerre l'accablaient et il n'osait prévoir à quelles extrémités elles conduiraient les siens. Sa *Lettre à un militant algérien,* sa campagne dans *l'Express* de juillet 1955 à février 1956, ses articles du *Monde,* ses textes recueillis en 1958 dans *Actuelles III* où l'on retrouvait les cris qu'il avait déjà poussés en 1939 et en 1945 devant la misère de la Kabylie, tout le forçait à refuser son appui à ceux qui exploitaient la violence.

A définir la justice il s'était employé toute sa vie, et il avait raison de croire que, dans les actes humains, tout combat pour une justice s'accompagne immanquablement d'iniquités. L'explication majeure de sa position, je la trouvais dans les *Lettres à un ami allemand* : « J'ai choisi la justice (...) pour rester fidèle à la terre. » De mon côté, à la terre je préférais les hommes, même embarrassés dans leurs injustices et ensanglantés par elles. C'était, je crois, ce qui me sépara de lui momentanément. La terre algérienne, à ses yeux, s'incarnait dans sa mère, qui vivait. La mienne était morte trois ans avant le commencement de l'insurrection. Je n'avais plus à craindre pour elle. Où elle reposait, déjà redevenue la terre d'où elle sortait, elle ne redoutait plus rien des hommes. Moi seul pouvais craindre pour sa mémoire. Il n'en était pas de même pour la mère de Camus, une vieille femme illettrée, d'origine espagnole, veuve d'un humble gérant de ferme tué dès les premiers mois de la guerre de 1914.

Il faut savoir aussi de quel Camus on parle. Celui qu'on découvre par exemple dans les Mémoires féroces de Mme Simone de Beauvoir ne ressemble pas au mien. Parmi les gloires de l'existentialisme comme dans les cercles parisiens, il se gardait, craignant toujours un faux pas qui le fît glisser parmi les fauves impitoyables. Ce Camus un peu noceur, buveur et tranchant que décrit Mme de Beauvoir, je n'ai fait que l'apercevoir. Devant moi, il se montrait naturel parce qu'il savait qu'il ne risquait pas de choir dans une chausse-trape et n'avait pas à se défendre. La noce, alors, quand on avait l'occasion de la faire ensemble, était l'expression du bonheur et celle d'un culte; on aimait

Simone de Beauvoir

le vin parce qu'il donnait la joie; les femmes, parce qu'elles étaient la beauté du monde. On rendait grâces à la vie. On attendait tellement de Camus que ce qu'il donnait ne suffisait pas toujours. On exigeait de lui, dès 1954, qu'il prît parti alors qu'il hésitait toujours à condamner. Tranchant? Peut-être sur le plan des doctrines dont il avait mesuré le danger, ou des amitiés dont il connaissait le prix. Dans la vie, nul ne me parut plus conciliant et indulgent que lui, sauf lorsqu'on touchait à l'honneur des pauvres ou des humiliés. Alors, en effet, il pouvait devenir cruel à l'égard des cruels avant de les expulser de lui quand il estimait que les essais pour sauvegarder ce qu'il considérait comme essentiel avaient échoué. Pour l'Algérie, l'espoir d'un compromis et d'une pitié l'empêcha toujours de trancher. Notre drame fut d'attendre de lui une voie à suivre. Le sien d'être incapable de s'en frayer une parmi les hommes de sang.

C'est en 1956 qu'Albert Camus eut pour sa part à résoudre le cas de conscience que posait la rébellion algérienne aux intellectuels français. A cette époque, engagé pleinement dans le combat contre le pouvoir et les Français d'Algérie, il collaborait à *l'Express* où il venait de publier une série d'articles sur le thème de «l'Algérie déchirée». Le témoignage de Jean Daniel, son ami de longue date, le meilleur qu'il eût à ce journal, et «pied noir» comme lui, semble capital et situe le nœud du problème. Au début de janvier 1956, deux étudiants musulmans algériens demandèrent par l'intermédiaire de Jean Daniel à voir Camus, qui accepta de les rencontrer le jour même, dans l'après-midi. Ce ne furent pas deux étudiants algériens qui vinrent à *l'Express,* mais une délégation de huit, dont l'actuel ambassadeur d'Algérie à Paris, M. Moussaoui, et le futur ministre de l'Information, Belaouane, alors responsable militaire auprès des étudiants algériens qui devaient rejoindre l'A.L.N. Leur porte-parole exprima à Camus leur émotion de le revoir.
«Nous avons pour vous le respect le plus grand, dit-il. Nous serions heureux de connaître ce que vous souhaitez pour l'Algérie et votre position à l'intérieur du combat algérien, car nous ne voyons pas très clairement les positions que vous défendez. » Camus répondit d'abondance, avec une spontanéité qui laissa entendre à Jean Daniel qu'il n'attendait que cette occasion pour vider son cœur devant des adversaires de bonne foi alors qu'il hésitait toujours à se laisser aller devant des intellectuels français. «Je m'entendrai toujours mieux avec un instituteur kabyle qu'avec un professeur parisien. » C'était un mot que Camus

aimait répéter pour exprimer sa crainte de brasser des idées
quand le cœur n'intervient pas pour les modérer. Ce qui frappa
Jean Daniel, ce fut que Camus disait « nous » en parlant des
Français d'Algérie et « vous » en parlant des Musulmans. Il
exposa longuement la réparation qui était due au peuple
algérien, les responsabilités qui incombaient aux Français
d'Algérie et surtout aux Français de métropole. Il précisa qu'aux
Français d'Algérie on avait menti, insista sur le fait qu'ils étaient
obligés de défendre leur peau et en arriva à son thème habituel
contre la violence et le meurtre des innocents. Il le développa
longuement, refusa que la fin puisse jamais justifier les moyens,
insista pour qu'un révolutionnaire mesurât à chaque instant le
prix de la révolution et modifiât ses méthodes si ce prix était
trop élevé. Comme « pied-noir » et comme Algérien appartenant
à la patrie commune, il ne pouvait pas ne pas s'interroger sur
ce prix puisque les siens en payaient une part. « A ce moment-là,
me dit Jean Daniel, il est devenu assez pathétique, et j'ai eu
l'impression que les étudiants algériens en éprouvaient à la fois
la peine d'être exclus, ou du moins séparés, de la communauté
de Camus et une très grande déférence à l'égard de sa position. »
Camus termina en disant que si la violence continuait, chaque
membre des communautés serait obligé de rejoindre sa propre
communauté d'origine ; qu'on pouvait encore, comme lui, se
placer au-dessus de la mêlée, adjurer les uns et les autres de
s'unir ou de cesser de massacrer, mais qu'on se trouvait sur la
limite extrême des concessions, surtout quand il s'agissait du
meurtre d'instituteurs.

« Méfiez-vous, dit Camus. L'heure va venir où personne ne
pourra demeurer en marge, au milieu ou au-dessus. Si la violence continue, le devoir, même pour un homme comme moi,
consistera à retourner à sa communauté parce qu'il sera impossible de rester neutre ou en dehors. »

Ce mot rejoint dans un certain sens le refus de Saint-Exupéry
de n'être qu'un témoin et ce besoin de participer qui l'a mené
à mourir aux commandes d'un avion de guerre. Pour Camus,
le temps approchait où, même quand l'Histoire reconnaissait

des torts à sa propre communauté, le sentiment charnel d'appartenance à cette communauté primait tout. C'est ce qu'il demanda à ses interlocuteurs de comprendre. En 1964, il eût été le Grec de Chypre qui ne pouvait se ranger du côté des Turcs. Aux étudiants algériens il voulait montrer que les événements conduiraient fatalement Arabes et Européens à souffrir ensemble.

Les étudiants le quittèrent, profondément impressionnés. Quand Jean Daniel les interrogea, ils lui dirent : «Camus ne pourra jamais être des nôtres.» Et ils s'en montrèrent malheureux.

Quelques jours plus tard, Camus répéta ces propos sous une autre forme à Jean Daniel. «... Aujourd'hui, l'Algérie est un territoire habité par deux peuples, je dis bien deux peuples, l'un musulman et l'autre pas. Ce territoire, où l'administration est française, c'est-à-dire où la responsabilité est parisienne, se singularise par le fait que l'injustice et la misère y sévissent scandaleusement. Cela est vrai. Mais les deux peuples d'Algérie ont un droit égal à la justice, un droit égal à conserver leur patrie... Je veux bien combattre pour la justice. Je ne suis pas né pour me résigner à l'Histoire. D'abord parce que je n'y crois pas, ensuite parce que mon devoir est de ne pas y croire. Ce n'est pas mon rôle. Ce ne peut être le rôle des intellectuels. Or, tous les arguments invoqués par les intellectuels pour justifier la violence musulmane contre les civils innocents impliquent la croyance dans une Histoire et une Histoire juste. La répression française n'a aucune justification, aucune excuse, nous le disons ; il faut dire la même chose, si nous combattons pour la justice, au sujet des méthodes du F.L.N. qui voit dans chaque Français en Algérie un représentant du colonialisme oppresseur... Vous me direz : mais alors, à l'heure de la violence, que faire ? Eh bien, ne rien changer, quoi qu'il arrive, aux positions de principe. Il faut se battre pour la trêve, pour l'arrêt du massacre des innocents, pour l'établissement des conditions à la fois morales et politiques qui permettront, un jour, le dialogue. Et si nous n'avons plus d'autorité ni sur les uns ni sur les autres, eh bien, peut-être que, pendant un moment, il faudra se taire. »[1] Le 22 janvier 1956, à Alger, il prononçait sa conférence pour la trêve, malgré l'opposition des extrémistes européens. A Paris, dans les cercles d'extrême-gauche où l'on préparait le manifeste des Cent vingt et un, on exprima de la commisération pour cette « belle âme ». Mais, à l'époque, qui

Francis Jeanson

parlait d'indépendance pour l'Algérie, même à *France-Observateur* et à *Libération*? Tous les intellectuels français, sauf pour le clan du réseau Jeanson, et même pour une certaine partie de l'armée, il s'agissait seulement de sortir de la guerre et de réparer les torts causés par la colonisation. Camus avait été séduit, un temps, par le projet de fédération du type sicilien de Marc Lauriol. Il en avait discuté avec certains officiers que je lui avais présentés, et il en fit état dans *Actuelles III*. Tout le chemin que nous avions fait jusqu'alors avait été frayé par lui. Débouchant d'un carrefour, des professeurs aux poches bourrées de tracts F.L.N. et quelques pétroleuses s'y engouffraient allègrement. Camus avait le droit de dire qu'il n'irait pas plus loin en cette compagnie caqueteuse et compromettante.

« Jamais Camus ne prononça de phrases plus creuses que lorsqu'il demanda : pitié pour les civils », a écrit Mme Simone de Beauvoir dans *la Force des choses*. Mme de Beauvoir a reçu une éducation sérieuse et distinguée, et le meilleur de son talent n'a servi qu'à s'apitoyer sur elle-même. Elle ignore tout de l'amour

---

1. Études méditerranéennes, n° 7, p. 21 et suiv. (1960).

qu'un fils peut éprouver pour sa mère et qui lui est plus étranger que les mœurs des Martiens. A l'égard de sa propre mère qu'elle nous a décrite comme impérieuse, conformiste et victime des principes d'une bourgeoisie qui défendait avec colère et maladresse ses biens et sa moralité, Mme de Beauvoir n'a guère éprouvé que les sentiments d'une rivale dans l'amour de son père, et d'une révoltée.

Elle n'a songé qu'à lui échapper; alors que la dévotion de Camus pour la vieille femme qui ne savait pas lire ses lettres tournait naturellement à la religion. Dans les Mémoires de Mme de Beauvoir, il n'existait pas un mot de tendresse filiale avant ce récit sur la mort de sa mère, « Une mort très douce », paru dans *les Temps modernes* de mai 1964. On peut se demander tout de même pourquoi elle dénature, en les rapportant, la plupart des propos d'un homme qui l'agaçait parce

Djamila Boupacha

qu'il n'avait pas le cœur assez sec? Pourquoi l'auteur de *la Force des choses* se montre-t-elle si dure pour un esprit qui a cherché éperdument la vérité, quand elle se découvre, dès qu'il s'agit d'elle-même et des affections qui se dissipent dans les grandes mélancolies automnales, sans défense et sans logique?

Pourquoi accuse-t-elle de «supercherie» un écrivain qui s'est usé à trouver une solution de conciliation alors que, suffragette de génie mais suffragette quand-même, elle s'est contentée de brandir des banderoles et de répéter des slogans dans les manifestations, sauf lorsqu'elle prit la défense de Djamila Boupacha? Il y a, chez Mme de Beauvoir, une altération inconsciente des faits et des intentions, toute comparable, bien qu'elle se situe à son opposé, à celle que j'ai trouvée, à ma stupéfaction, chez le colonel Argoud lorsqu'il prétendait pratiquer la justice en fusillant les fellaghas sur les places des villages algériens. D'où cette grande vertu civique tire-t-elle les foudres dont elle accable Camus? Où nous révèle-t-elle qu'elle avait perdu le sommeil et l'appétit à imaginer ce qui se passait en Algérie? Certes, elle se dit plus d'une fois qu'elle devrait agir, se compromettre, alerter l'opinion. Les années de guerre en Algérie sont pleines de ses voyages à travers le monde. J'y ai cherché en vain le cri déchirant qu'elle aurait pu pousser, du fond de ses entrailles, à l'intention des femmes de son pays, pour essayer de dénoncer les horreurs qu'on exerçait de l'autre côté de la mer. Ce qui séparera toujours Mme de Beauvoir et *les Temps modernes* de Camus, c'est que Camus n'a jamais pu se réjouir d'une défaite : la perte de l'Algérie en était une, comme la chute de Dien-Bien-Phu. On pouvait se féliciter que justice et honneur soient rendus aux peuples dépouillés de leur existence nationale et déplorer en même temps qu'il ait fallu des désastres pour forcer la France à cette restitution légitime. C'est là une affaire de cœur, il est vrai, et, pour la plupart des intellectuels, le cœur n'est qu'un muscle creux. Comme Faulkner, Camus savait que c'est dans le cœur que se trouve la vérité.

On peut donc comprendre que toute la logique du monde ne serve à rien quand il s'agit de ceux à qui on est attaché par les liens de la chair et du sang. *Les Temps modernes* justifiaient les méthodes de combat du F.L.N., et, contrairement à ce qu'on laisse entendre quand on l'accuse de supercherie, Camus ne faisait pas porter tous les péchés de la guerre à «la barbarie arabe». «La longue violence colonialiste explique celle de la rébellion. Mais cette justification ne peut s'appliquer qu'à la rébellion armée.

Comment condamner les excès de la répression si l'on ignore ou si l'on tait les débordements de la rébellion ?

Et inversement, comment s'indigner des massacres des prisonniers français si l'on accepte que les Arabes soient fusillés sans jugement? Chacun s'autorise du crime de l'autre pour aller

plus avant... »² Camus n'ignorait pas que les populations civiles
ne pouvaient être épargnées. Essayer d'y parvenir dans le « rêve
d'une Algérie heureuse » ne méritait pas tant de mépris, puisque
le mot de bonheur fut à peu près le seul dans la bouche de
Camus qui ait jamais ému Mme de Beauvoir. Mme de Beauvoir
avait péremptoirement coupé l'Algérie en deux : colons d'une
part, honteux témoins d'un passé à effacer, et colonisés. L'ambition de Camus, comme la nôtre, consista à maintenir les uns et
les autres sur la même terre à condition de posséder des droits
égaux, ce qui impliquait, pour les Européens, l'abandon de leurs
privilèges. Condamnés à vivre ensemble, selon une expression
qui fit fureur, Camus refusait de les voir condamnés à se tuer
les uns les autres. De mon côté, je souhaitais la fusion des deux
communautés en un seul peuple, ce qu'on osait appeler, dans la
langue colorée qui est la nôtre : le drapeau vert et la soubres-
sade. A l'époque, il y avait de quoi se faire écharper rue d'Isly.
Les Algériens, pourtant très attachés à découvrir une solution
à leur problème, ont eu de la vérité un souci plus manifeste :
ils se souvenaient de quand datait l'attachement de Camus à leur
égard. Ils persistaient à croire que Camus était un grand homme
et que c'étaient la vie et la fatalité qui l'avaient séparé d'eux.
La vie ? Disons : l'idée qu'il se faisait de la femme à qui il la
devait, le principe même qui règle d'ordinaire chez les hommes
les devoirs civiques et l'amour : la mère. Tant qu'il s'agissait
d'idées, Camus pouvait condamner la sottise et les crimes des
siens. Dès qu'il s'agissait de la vie, il rejoignait les siens, comme
dans une tragédie grecque quand, après une parole fatale qui
engage les armes, le sang commence à couler. Portant les péchés
des siens, il acceptait de mourir avec eux. Qu'on se résigne alors,
pour un temps et par sagesse, à se taire quand on est aussi
mal compris, cela peut arriver, surtout quand on est convaincu,
comme Camus le fut, qu'on a aidé à conduire au pouvoir un
Guy Mollet et un Lacoste. On pouvait être désespéré à moins.
Se taire ? On s'acharna à le provoquer. Aux yeux de beaucoup,

2. Trêve pour les civils (*l'Express*, janvier 1956).

son silence était un scandale, puisqu'il condamnait les uns et les autres. «Une droite perspicace, écrivait-il en 1958, sans rien céder sur ses convictions, eût (...) essayé de persuader les siens, en Algérie et au gouvernement, de la nécessité de réformes profondes et du caractère déshonorant de certains procédés. Une gauche intelligente, sans rien céder sur ses principes, eût de même essayé de persuader le mouvement arabe que certaines méthodes étaient ignobles en elles-mêmes. Mais non. A droite, on a le plus souvent entériné, au nom de l'honneur français, ce qui était le plus contraire à cet honneur. A gauche on a le plus souvent, et au nom de la justice, excusé ce qui était une insulte à toute vraie justice. La droite a laissé ainsi l'exclusivité du réflexe moral à la gauche, qui lui a cédé l'exclusivité du réflexe patriotique. Le pays a souffert deux fois. Il aurait eu besoin de moralistes moins joyeusement résignés au malheur de leur patrie, et de patriotes qui consentissent moins facilement à ce que des tortionnaires prétendent agir au nom de la France... »[3]

En décembre 1957, à Stockholm, à la fin de la conférence qu'il donna à l'occasion de son prix Nobel, un étudiant musulman le provoqua. Camus lui répliqua par quelques mots cinglants et navrés. Son silence avait un visage : celui d'une femme qu'on trouve tout au début de son œuvre, dans le petit livre qu'il écrivit à vingt-deux ans, dans l'odeur des brochettes de viande grillée, le bruit des tramways et le chant d'un ivrogne qui montaient des rues de Belcourt — le décor de *l'Étranger*. «Elle se tasse alors sur une chaise et, les yeux vagues, se perd dans la poursuite éperdue d'une rainure du parquet. Autour d'elle, la nuit s'épaissit dans laquelle ce mutisme est d'une irrémédiable désolation. Si l'enfant entre à ce moment, il distingue la maigre silhouette aux épaules osseuses et s'arrête : il a peur. Il commence à sentir beaucoup de choses. A peine s'est-il aperçu de sa propre existence. Mais il a mal à pleurer devant ce silence animal. Il a pitié de sa mère, est-ce l'aimer ? Elle ne l'a jamais

---

3. *Actuelles III*, avant-propos.

caressé puisqu'elle ne saurait pas. Il reste alors de longues minutes à la regarder. A se sentir étranger, il prend conscience de sa peine... Un soir, on avait appelé son fils — déjà grand — auprès d'elle. Une frayeur lui avait valu une sérieuse commotion cérébrale. Elle avait l'habitude de se mettre au balcon à la fin de la journée. Elle prenait une chaise et plaçait sa bouche sur le fer froid et salé du balcon. Elle regardait alors passer les gens. Derrière elle, la nuit s'amassait peu à peu. Devant elle, les magasins s'illuminaient brusquement... Le soir dont il s'agit, un homme avait surgi derrière elle, l'avait traînée, brutalisée et s'était enfui en entendant du bruit... Plus tard, bien plus tard, il devait se souvenir de cette odeur mêlée de sueur et de vinaigre, de ce moment où il avait senti les liens qui l'attachaient à sa mère. Comme si elle était l'immense pitié de son cœur, répandue autour de lui, devenue corporelle et jouant avec application, sans souci de l'imposture, le rôle d'une vieille femme pauvre à l'émouvante destinée... »[4]

Au jeune Algérien qui l'interpellait à Stockholm et le mettait en demeure de prendre parti, Camus répondit : « Je n'ai jamais parlé à un Arabe ou à l'un de vos militants comme vous venez de me parler publiquement... Je puis vous assurer cependant que vous avez des camarades en vie grâce à des actions que vous ne connaissez pas... J'ai toujours condamné la terreur. Je dois condamner aussi un terrorisme qui s'exerce aveuglément dans les rues d'Alger, par exemple, et qui, un jour, peut frapper ma mère... Je crois à la justice, mais je défendrai ma mère avant la justice. »

Dans l'esprit de Camus, il se peut que l'homme qui avait brutalisé sa mère vingt-cinq ans plus tôt fût un « Arabe ». Aujourd'hui, cet Arabe pouvait la tuer. Ce serait là, dans ce cas, un complexe de « petit blanc ». Peut-être Camus en a-t-il souffert. Peut-être est-ce cela qui l'a poussé instinctivement à désirer partager le sort des « pieds-noirs » dont il était. Mais le juger ainsi serait faire preuve d'une cruauté et d'une légèreté coupables. S'il

4. L'Envers et l'Endroit, « Entre oui et non ».

n'est pas donné à tout le monde d'aimer sa mère à ce point, il faut rendre à Camus la justice qu'il fut le premier à réclamer pour «les Arabes». Sans lui, et sans l'influence qu'il exerça sur ses compatriotes d'Algérie, il n'y aurait pas eu un seul d'entre eux à embrasser la cause de l'indépendance algérienne. Qu'on le nie ou non, il reste à l'origine du libéralisme qui prit naissance dans quelques esprits algériens des deux communautés et se termina par l'éclatante faillite qu'on connaît, au profit comme au malheur des extrémistes des deux camps. Il n'y a pas de quoi pavoiser.

On oublie cette vérité quand on s'indigne encore du mot de Camus à Stockholm. Camus n'a pas dit : «J'aime la justice, mais je défendrai ma mère avant la justice», mais : «Je crois à la justice...» Dans son esprit, il ne s'agissait pas de départager deux amours mais de donner la primauté à l'amour sur la foi, ce qui paraît bien normal quand il s'agit d'un domaine où la raison n'a rien à voir.

Ceux qui le jugent aujourd'hui sans appel n'ont rien connu de ses angoisses. Il est vrai que, de mon côté, le sang me bouillait devant les destructions inutiles, les cris de torture, les explosions de bombes dans les rues d'Alger et la violence des répressions. S'indigner, hurler, se battre me paraissait la seule tâche à laquelle un écrivain né en Algérie dût consacrer toutes ses forces. Camus usait les siennes à des interventions, des discussions et des tentatives de conciliation. L'autorité qu'il détenait le désignait pour parler en notre nom, et je l'aimais trop pour le mettre, si peu que ce fût, dans l'embarras. S'il se taisait, c'est qu'il cherchait la voie que nous devions suivre. Moi qui ne songeais qu'à l'aider, quel parti aurais-je osé embrasser sans son acquiescement? Le théâtre le consolait des hommes, à certains moments, et, à cette époque-là, je ne pouvais consacrer mes forces qu'à des prairies. Pour aller plus avant, j'attendais moi aussi, non sans une certaine petite lâcheté, que Camus se livrât. Il était mon maître et mon guide et je pouvais, par des écrits intempestifs, gêner l'action qu'il préparait, je le savais sans en connaître le détail ni le fond, pour dénouer la situation.

J'ai commencé d'agir au moment où, jalousé et insulté, il renon-
çait même à l'idée de s'engager, bien que ce renoncement
représentât à lui seul un engagement et lui coûtât davantage.
A ma décision de travailler à l'indépendance de la communauté
algérienne alors qu'il avait décidé de se taire, je fus poussé par
un événement considérable : sa mort tragique.
Quand la guerre prit, avec l'affaire des barricades, l'allure

Dernier visage de guerre en Algérie : Alger ceinturée par les barbelés.

d'un règlement de comptes entre le pouvoir central et l'armée
endoctrinée par les colonels de l'action psychologique, Camus
n'était plus là pour dire ce qu'il pensait. Je découvris avec terreur qu'il ne serait plus jamais là pour indiquer la ligne à suivre,
sur l'arête qui départageait les justices. Quand on me suggéra,
en avril 1960, de partir pour l'Algérie afin d'écrire un livre,
les larmes me vinrent aux yeux, à ma grande surprise. Quatre
mois plus tôt, comme il arrive, au moment où l'on est touché, de

ne pas sentir la gravité d'une blessure, j'avais pu imaginer qu'il continuerait à me conseiller et à m'éclairer... Je pris conscience de ma solitude et, en même temps, de celle qui avait été la sienne quand les événements le plaçaient devant des choix où il engageait sa gloire et la vie de beaucoup d'hommes. J'aurais été infidèle à la vocation que j'ai reçue en esquivant le problème. Ce que Camus ne pouvait pas faire, j'étais plus libre que lui de l'accomplir. On n'était pas suspendu à mes lèvres. Le prix Nobel n'alourdissait pas mes épaules. Mes actes n'entraînaient que moi. Mon passage dans le camp d'une justice qu'il m'avait enseignée ne m'apparaissait pas, comme à lui, une trahison de la justice qu'il rêvait de voir établie entre les hommes. Aurais-je osé prendre parti, comme je le fis plus tard, si ma mère avait été en vie et si j'avais craint pour elle? En toute sincérité, je répondrai que je n'en sais rien, et ces hésitations pourront paraître méprisables aux grands esprits des *Temps modernes*. Aimer sa mère au point de la préférer à la justice, ou la sacrifier sur l'autel des principes de droit qui peuvent faire le malheur des peuples, cela relève sans doute de la mentalité du sinanthrope.

Ses ennemis reprochent à Camus de n'être pas allé au bout de tous ses choix et ricanent devant ce mot de justice qu'il a tant prononcé et devant ce mot de juste qu'il a voulu mériter. Il était d'un pays où, quand on n'a guère que le soleil pour bien, ces mots-là comptent plus que le pain; et puis, parmi ses détracteurs, qui est allé aussi loin que lui? Qui oserait jurer, en tout cas, que, de douleur en douleur, il n'aurait pas trouvé un passage dans la muraille du malheur et le moyen de définir une justice à la fois aussi exigeante et douce que la fidélité à sa mère? Pour ceux qui voulaient le contraindre à un choix pour l'Algérie, le choix ne leur coûtait pas plus que s'il se fût agi des bédouins du désert de Gobi, et ils n'auraient pas seulement songé à se porter au secours des causes qu'il fut toujours le premier à défendre, alors même qu'on les jugeait perdues d'avance. Comment condamner un homme à qui le temps a manqué? Les événements des deux années qu'il n'a pas eues pour décider ont pesé lourd dans l'appréciation des responsabilités réciproques des deux communautés algériennes et dans l'idée que j'ai pu me faire d'une fatalité à laquelle on ne pouvait plus échapper, et des forces qu'on ne pouvait plus nier. Il aurait pu installer sa mère dans sa maison de Lourmarin et, dès lors, considérer avec plus de sang-froid l'abîme de haine et de malheur où glissait peu à peu, avant d'y sombrer, la folie raciste des meneurs européens. Témoin des ratonnades, il aurait pu s'interposer encore et faire entendre un désaveu qui eût pesé lourd dans la prise de conscience et dans l'avenir de la communauté européenne. S'il ne l'a pas fait, c'est qu'il n'était plus là. Nul n'a le droit de lui reprocher quoi que ce soit sans renier ce mot de fraternité que la plupart des intellectuels prostituent sans rien connaître des devoirs qu'il implique. A ceux qui pensaient «que le frère doit périr plutôt que les principes», il déclarait qu'il n'était pas de leur race.

Le drame algérien ne se referme sur lui qu'avec le haut mur lisse de la mort. S'il a défendu la vie parce qu'elle laissait à sa famille au moins la chance d'être juste, la seule indignation qu'on puisse manifester ne saurait se traduire que par des larmes devant les arbres de la nationale 5 où il s'est écrasé, le 4 janvier 1960. Sa quête du bonheur pour les hommes est bien ce qu'il y a de plus haut dans le monde. Aujourd'hui, je me dis que, sans oser m'en faire la confidence, il m'a poussé à aller plus loin que lui. Ce qu'il ne pouvait pas faire parce qu'il était Camus, je ne l'aurais jamais fait s'il n'avait pas existé. C'est pourquoi je hausse les épaules quand on parle, à son propos, d'impasse. C'est d'une tragédie antique qu'il s'agit, dont Camus est le héros exemplaire et sublime.

J. R.

Albert Camus l'année du prix Nobel

CHAPITRE VII

Le prix
Nobel

PAR R.-M. ALBÉRÈS

Dans le discours qu'il prononça le 10 décembre 1957 en recevant le prix Nobel de littérature, Albert Camus s'exprimait certainement avec son habituelle sincérité lorsqu'il avouait sa crainte devant « un arrêt qui le portait d'un coup, seul et réduit à lui-même, au centre d'une lumière crue ». Dans le même texte, il se définissait comme « un homme presque jeune, riche de ses seuls doutes et d'une œuvre encore en chantier, habitué à vivre dans la solitude du travail et dans les retraites de l'amitié ». C'est en toute honnêteté qu'il se voyait tel, n'ayant retenu, de quinze ans déjà de célébrité, que ce triple goût du travail, du bonheur et de l'exigence, auquel il devait son emprise sur les lecteurs du monde entier. Jamais il n'avait cherché, même inconsciemment, à se donner un «personnage» et à se créer une légende, ignorant les coquetteries de la vedette qu'il était déjà devenu, et même les simples coquetteries d'auteur. Jamais non plus il n'avait entièrement accepté de voir en lui-même ce «maître à penser» que l'on y avait découvert, et ce «représentant» de la «conscience» humaine que l'on allait académiser et couronner. Et pourtant, depuis les premiers lecteurs du *Mythe de Sisyphe* sous l'occupation jusqu'au plus haut aréopage international, si tant d'hommes avaient voulu reconnaître en lui une sorte de guide, et dans son œuvre une sorte de ferment, les raisons en étaient visibles : toute phrase de Camus (même celles où il a touché au nihilisme) était faite d'un débat moral exprimé sous la forme la plus rigoureuse : ardente, mais sévère. Et alors que Camus ne prétendait qu'à vivre et à penser en élève de la vie et en élève de la pensée, l'exigence, l'ardeur et la conviction qui étaient dans sa nature lui donnaient un ton de maître; les livres qu'il ressentait et vivait lui-même comme une recherche en les écrivant, faisaient figure aux yeux d'autrui de prédication.

Là résidait sans doute son drame depuis le moment où, à la Libération, il avait été promu à une large notoriété : vouloir parler aux hommes comme à des condisciples, et se voir consi-dérer par eux comme un professeur. Il existe des enfants, très doués, et surtout très sérieux, à qui advient, parmi leurs cama-rades, cette mésaventure, celle du premier en classe que l'on invite pour faire un devoir de philo et non pour jouer au ballon ou pour suivre les jeunes filles. Pourtant Camus avait tenté de détourner la meute : lorsque, après les voyages de 1946 aux Etats-Unis ou de 1949 en Amérique du Sud, il comprit qu'on lui demandait de pontifier devant les étudiants ou devant les mondains, ce fut certes par goût personnel, mais aussi peut-être pour rompre les chiens qu'il revint au théâtre comme metteur en scène et comme adaptateur, marquant par là son refus de se confiner dans le rôle de « penseur».

Cependant, le «penseur» s'était, inéluctablement, imposé. Si Camus était désigné comme tel, il le devait à sa nature, au talent et au génie qui faisaient de ses écrits, quoi qu'il voulût, une méditation morale traduite en termes austères et vibrants, dans des formes d'imagination, et même de mythologie, qui se trouvaient en contact direct avec la sensibilité de l'époque. Il le devait aussi à ce paradoxe grâce auquel le Camus moralisateur, apôtre de la solidarité et de la dignité humaines, qui s'était lentement dégagé de lui, restait inséparable d'un Camus dur, exigeant, révolté, presque anarchisant et parfois nihiliste : Caligula et Rieux sont les deux faces d'un Camus *bifrons.*

Cette ambiguïté et cette polyvalence caractérisaient la pensée, la leçon et le message de Camus en 1957. Car, contre toute accusation de conformisme, la «caution» de Camus était forte, irréfutable : si parfois (et surtout après 1946) son «ton» avait pu devenir celui d'un prédicateur, jamais ses paroles n'avaient été que d'un révolté. Bien qu'ils aboutissent parfois à une «leçon», ses ouvrages partent d'un *défi :* défi à toute doctrine d'optimisme philosophique dans *le Mythe de Sisyphe,* défi à la lâcheté et au pharisaïsme social dans *les Justes,* défi aux illusions romantiques de la pensée et de l'action dans *l'Homme révolté...* Même en 1957, Camus ne peut apparaître comme un penseur attitré chargé de justifier par des pensées nobles les systèmes officiels et les injustices que l'on veut taire. Car, comme les jeunes hommes désorientés de 1946 à travers le monde, Camus avait fait table rase, et il était repassé, dans le domaine des attitudes morales, par ce doute méthodique qui avait été celui de Descartes dans le domaine de la connaissance. Malgré des citations de Chestov ou de Berdiaeff, aucune référence réelle à un «système» dans *le Mythe de Sisyphe :* la seule question est de savoir si l'on décide de vivre. Et la question est prise dans toute sa crudité : «Il n'y a qu'un problème philosophique vraiment sérieux : c'est le suicide.» Aussi en 1957 René Char pourra lui appliquer la phrase de Nietzsche : «J'ai toujours mis dans mes écrits toute ma vie et toute ma personne. J'ignore ce que peuvent être des problèmes purement intellectuels.»

Ainsi l'impression d'honnêteté que donnait Albert Camus lors de sa consécration de 1957 n'était pas factice : un penseur sans arrière-pensée. Il ne pouvait être soupçonné à l'origine d'aucun conformisme social, moral, idéologique; et dans sa vie publique il n'avait donné de gages à personne. Tout au plus pouvait-on lui reprocher, en France, d'être resté trop haut, trop au-dessus de la mêlée. Mais avec un peu de recul, ce défaut, vu de Suède, redevenait une qualité.

Surtout, sa parfaite honnêteté était visible dans sa manière de poser les problèmes, et même de rencontrer ses adversaires. On avait pu admirer par exemple son attitude devant le christianisme, et plus particulièrement devant le catholicisme, qui représentait en somme l'attitude métaphysique et morale dont il se trouvait le plus éloigné à l'origine et qui lui restait la plus étrangère. Lorsque Camus acceptera une confrontation au couvent dominicain de Latour-Maubourg, rien ne sera à la fois plus cordial et plus intransigeant que le début de son exposé: «Puisque vous avez bien voulu demander à un homme qui ne partage pas vos convictions de venir répondre à la question très générale que vous posez au cours de ces entretiens — avant de vous dire ce qu'il me semble que les incroyants attendent des chrétiens — je voudrais tout de suite reconnaître cette générosité d'esprit dans l'affirmation de quelques principes.»

Quelle netteté — netteté sans ambages — dans cette manière de prendre la parole, et d'aborder l'interlocuteur avec sympathie et pourtant en le prévenant qu'on lui reste étranger... Dans la même allocution, Camus ne s'interdit pas de reprocher à certains auteurs catholiques les mauvais procédés qu'ils ont eus envers lui; mais, tout aussi bien, sur un autre point, il lui arrive de dire avec la plus grande simplicité: «J'en suis venu à reconnaître en moi-même, et publiquement ici que, pour le fond, et sur le point précis de notre controverse, M. François Mauriac avait raison contre moi.»

Qui a jamais eu, sinon contraint, la naïveté et l'immense courage de dire de telles phrases dans une polémique? Ce ne sont pas là des élégances, mais une étonnante honnêteté, et c'est bien cette honnêteté qui valait un prix Nobel. Et l'on trouverait la même attitude, objective, modeste, ferme cependant, dans nombre de querelles, dont Camus souffrit, que ce fût avec le parti communiste ou avec Jean-Paul Sartre; mais il avait là des interlocuteurs plus agressifs, plus disposés à jouer le jeu jusqu'au bout et jusqu'aux armes empoisonnées, et dans ces cas il préféra tout simplement ne pas prolonger la controverse. La discrétion, et même l'effacement volontaire devant la polémique n'impliquaient point pourtant la démission. Ce prix d'honnêteté intellectuelle qu'est aussi, d'une certaine manière, le prix Nobel, reconnaissait en Camus l'homme qui, sans tapage, avait su être sévère devant son époque. Il s'était attaché à *dénoncer* le mal. D'abord, dans son œuvre, et dans les passages les plus célèbres de son œuvre, dans *la Peste* et dans *l'État de siège,* avec les grandes affirmations de ses héros. «J'ai décidé de refuser tout ce qui, de près ou de loin, pour de bonnes ou de mauvaises raisons, justifie qu'on fasse mourir», proclamait Tarrou. Car, même si cela pouvait sembler périmé à certains en 1957, Camus avait été en 1945, en 1946, une des «voix» qui devaient exprimer la leçon de la guerre. Condamner l'oppression, la dictature, le nazisme, devint sans doute facile, trop facile, après 1945. Certes. Mais il fallait bien cependant, vers cette date, que quelqu'un dît certaines paroles, afin qu'elles fussent dites. Et Camus fut, à cette date, celui qui les dit le plus simplement, le plus fortement. Le prix Nobel qui, comme toute consécration, est tardif, louait en 1957 le Camus de 1945 et des années précédentes.

Il louait aussi l'attitude humaine et morale qui, en 1945, semblait être la leçon des événements. Attitude dure et simplifiée, de franc-tireur du pessimisme viril, qui correspondait à l'époque, aux circonstances des années précédentes, puisqu'elle s'orientait vers une unique valeur : le courage et la lutte contre l'injustice. C'est ce que Camus exprimait alors, dans un romantisme de conspirateurs qui avait sa valeur dans les années de terreur : «Il a toujours suffi qu'un homme surmonte sa peur et se révolte pour que leur machine commence à grincer», dit Diego dans *l'État de siège.* Et Camus convie alors les héros obscurs à se dévouer à une lutte souterraine dont eux-mêmes n'ont rien à attendre, comme Rieux qui «a voulu rejoindre les hommes, ses concitoyens, dans les seules certitudes qu'ils aient en commun, et qui sont l'amour, la souffrance et l'exil». Il engage à un combat contre l'éternelle injustice, un combat d'hommes opprimés et courageux qui, pour *contenir* le mal sacrifieront tout, même leur liberté : « Ils se croyaient libres, et personne ne sera jamais libre tant qu'il y aura des fléaux. » Phrase à double sens, car, si elle s'applique aux pessimistes actifs, aux conspirateurs du bien, aux héros de *la Peste,* secouristes d'un monde terrorisé, elle pourrait s'appliquer, ironiquement, aussi bien aux optimistes passifs : ceux qui avant 1939 se croyaient libres, heureux, et s'aperçurent en 1940 qu'il y a toujours des fléaux.

Le roi Gustave VI remet le prix Nobel à Camus

Toute une autre génération — celle qui en 1957 commentera le prix Nobel — pourra sourire, et même ricaner, devant cette morale pour époques d'Apocalypse, cette morale héroïque qui, en 1957, dans la quiétude, la volonté de confort (ou d'ironie, ce qui est la même chose) pouvait paraître désuète dans un monde redevenu frivole et insouciant. Agitant leurs orteils dans les pantoufles d'une « activité littéraire » sotte et futile (que l'on cite un *grand* écrivain qui se soit imposé après Camus, *après* 1945), cent critiques, journalistes, jeunes hommes de lettres, en 1957, ne pardonneront pas à Camus d'être resté l'homme de 1945, et surtout l'homme de 1943. Cependant, parmi ceux qui se gaussèrent de ce «fossile» de quarante-quatre ans, aucun, sans doute, n'avait été arrêté par la police allemande (ou éventuellement par une autre) entre 1940 et 1944. Camus semblait peut-être périmé en 1957, pour qui vivait la vie quiète de 1957 en oubliant que les nazismes, les dictatures, la troisième guerre mondiale sont toujours à notre porte.

J'aime à croire que Camus fut, précisément, couronné à Stockholm pour ne l'avoir point oublié et pour être ce gêneur. Car, discrètement et avec fermeté, il avait poursuivi la vocation qui avait été celle de sa dure jeunesse. Non plus seulement par les déclarations somme toute héroïques d'une œuvre littéraire, mais dans des engagements précis : journaliste et rédacteur en chef de *Combat,* essayant de faire de la post-résistance une morale et non une société d'ambitions et de secours mutuels ; intervenant en 1947 dans les problèmes de prédécolonisation que posait la révolte malgache, ou, en

L'hommage de Camus à une jeune Suédoise

mars 1949, une répression sanglante en Grèce. Toujours indépendant des partis, car s'il essaie de sauver des communistes grecs, il appuie aussi bien en 1953 la révolte de Berlin-Est et condamne en 1956 le carnage des chars soviétiques en Hongrie. Et l'appel qu'il lance la même année contre le durcissement de la guerre en Algérie permet d'imaginer que, au lieu de mourir d'un banal accident de la route, il aurait pu se faire tuer, comme autrefois Mgr Affre à Paris, sur une barricade d'Alger...

Manifestations platoniques parfois... On sourit de l'intellectuel qui signe un manifeste et, bien souvent, Camus n'a guère pu faire davantage : la faute en fut aux circonstances, à un monde et à un pays indifférents, plus qu'à Camus lui-même. Camus était évidemment déplacé et doucement impuissant dans une décennie où ses contemporains ne souhaitaient plus qu'une hypocrite tranquillité. Entre 1945 et 1957, il fit certes, maladroitement, ce qu'il put. Il accepta même de fonder, avec Sartre, avec David Rousset, avec Breton, un « Rassemblement démocratique révolutionnaire », qui fut un échec d'intellectuels actifs coupés des masses populaires devenues passives. Mais jamais Camus ne s'était démis de sa vocation. Et un écrivain comme Driss Chraibi, tout en professant peu de goût personnel pour le style littéraire d'Albert Camus, reconnaissait précisément sa valeur de témoin à charge, de conscience inquiète : « Il a eu le courage de faire des constats ; il a su faire toucher du doigt bien des problèmes à ses contemporains et par là même il a pu les amener à reconsidérer toutes sortes de conventions sur lesquelles la société avait tendance à se reposer... Je ne connais pas d'écrivain qui ait exprimé plus fidèlement son époque. »

C ette liaison de l'écrivain et de son temps, c'est bien celle que Camus proclame précisément dans son *Discours de Suède*, dans un texte qui semble académique à première vue, mais qui en fait relie le Camus de 1943 au Camus de 1957, définissant en même temps le rapport entre l'art de l'écrivain et l'engagement humain et social de l'homme. Devant l'académie de Stockholm, il ne se présente pas comme un penseur abstrait et universel, mais comme un homme d'une certaine époque, d'une certaine génération : la génération du xxᵉ siècle qui, à l'âge d'homme, s'est trouvée en face d'une menace, d'un fléau, d'une terreur. A cette génération, il a fallu alors « se forger un art de vivre par temps de catastrophe, pour naître une seconde fois, et lutter ensuite, à visage découvert, contre l'instinct de mort à l'œuvre dans notre Histoire. » Albert Camus ne prétend pas traiter là de manière théorique des rapports de l'artiste et de l'homme, mais seulement de ces rapports tels qu'il les a vécus et que les a vécus sa génération, « héritière d'une histoire corrompue où se mêlent les révolutions déchues, les techniques devenues folles, les dieux morts et les idéologies exténuées ».

L'impuissance de l'homme de bonne volonté devant les grands fléaux de l'Histoire — cette impuissance que constatèrent tous ceux qui ne purent conjurer la folie et le crime des années quarante — voilà la constatation *historique* qui est à la base de la pensée « politique », au sens large du mot, d'Albert Camus, c'est-à-dire de sa conception du rôle de l'écrivain dans la cité. C'est malgré lui, malgré des hommes aussi intelligents, aussi résolus, aussi faibles que lui, que sa propre jeunesse, et leur jeunesse, déboucha sur l'année 1940, et sur l'Europe concentrationnaire. Il y eut donc le « résistant » Camus. Et, lorsque l'étau se fut desserré, cet ancien résistant ne pouvait devenir rien d'autre qu'un homme tristement vigilant, se souvenant assez des atrocités passées pour craindre des atrocités futures, et ne prendre la parole que pour en détourner les menaces, même lointaines. Attitude peu rentable pour le succès, dans un pays d'esprits légers et caustiques. Attitude ferme et modeste aussi, qui procède de la conviction d'une expérience ineffaçable : Camus avait appris que la folie menace notre monde et, bien humblement, une fois passée la crise de folie où sa jeunesse s'était forgée, dans la décennie de « rémission » où se situe l'année 1957, il ne prétend à rien, comme tout bon médecin, qu'à éviter une nouvelle crise. Mais il n'y avait là plus rien de romantique ni d'exaltant, et, bien sûr, Camus semble passer ainsi d'une révolte à une sagesse (on ne se fera pas faute de le lui reprocher). C'est la sagesse d'une génération qui a traversé l'enfer : « Chaque génération, sans doute, se croit vouée à refaire le monde. La mienne sait pourtant qu'elle ne le refera pas. Mais sa tâche est peut-être plus grande. Elle consiste à EMPÊCHER QUE LE MONDE SE DÉFASSE. »

Tâche sans gloire : le docteur Rieux était, dans *la Peste,* un héros et une sorte de saint laïque. Mais une fois terminée la peste d'Oran, que devint le docteur Rieux ? Un bon médecin sans héroïsme apparent, nécessaire pour éviter une nouvelle peste, mais ne tirant plus aucune gloire de cette tâche obscure de pré-servation, de prévention... L'histoire de Camus après 1945 est l'histoire du docteur Rieux après la peste.

Cette modestie de Camus, et de la pensée de Camus, est celle de l'intellectuel et du penseur de notre époque qui, après avoir cru, au xixe siècle, ou dans les grands élans socialistes ou natio-nalistes du xxe siècle, à une transformation psycho-politique de l'homme, s'est durement aperçu que les révolutions historiques, si elles modifient parfois heureusement la condition sociale, ne suppriment pas le spectre de la tyrannie, de la cruauté, de l'injustice : au contraire. D'où ce livre, sage, modéré, cruel, qui devait tant desservir son auteur, *l'Homme révolté*, où Camus avouait, au nom de tous, que la pensée, la révolte, la justice, le bonheur, forces du bien, pouvaient certes se développer dans un monde nouveau soumis à une évolution accélérée, mais avec un égal et terrible développement, en même temps, des forces du mal ; tyrannie, oppression, torture. On avait voulu croire que le monde nouveau dépasserait et multiplierait la charité chrétienne du Moyen Age en refusant les Inquisitions. Mais non ; et Camus constatait qu'à un progrès social porté au carré correspondaient des bûchers portés au cube.

Cet exposé de « sagesse » émis presque à contrecœur ne pouvait être très populaire chez les intellectuels, les snobs et les mili-tants. En 1957, les intellectuels « engagés » haïssaient Camus parce qu'il ne croyait pas qu'il suffit de jeter du charbon dans le foyer d'une évolution historique optimiste, lui qui avait dit : « L'Histoire n'est pas tout. Changer la vie, oui, mais non le monde. » Et les esthètes non engagés, désinvoltes, moqueurs, lui en voulaient de prendre au sérieux, cependant, le problème commun du bonheur et de la vie humaine, au lieu de le réserver pour leur délectation ironique d'aristocrates.

En face de ces deux fanatismes, celui du pseudo-militant et celui du pseudo-dilettante, isolé, incompris (et si « son » prix Nobel ne signifia rien pour ses compatriotes, il fut sans doute pour lui un «signe» et un encouragement lointain), Albert Camus maintint avec fermeté sa position : l'écrivain est engagé dans l'Histoire, mais il est impuissant devant les folies de cette machine qui broie des millions d'hommes. La ferveur de l'artiste et de l'écrivain ne doit donc pas aller alors à la marche aveugle de l'Histoire, mais à ceux que cette Histoire brasse, concasse, écrase et tue : aux hommes vivants qui, de toute façon, souffrent. Certes, l'artiste ne doit pas se retirer dans sa tour d'ivoire. Mais il ne doit pas non plus lier partie avec les grossiers meneurs d'hommes. Son rôle est de vivre et de partager la souffrance des humains qui sont soumis aux dures lois de l'évolution historique, des révolutions et des catastrophes historiques, et aux sadiques stupidités de ceux qui mènent ces convulsions. L'artiste ne peut être l'allié d'un chef politique, même «bon» et utile, il est l'allié de ceux qui souffrent sous cette dictature. «Pourquoi créer, si ce n'est pour donner un sens à la souffrance, fut-ce en disant qu'elle est inadmissible? La beauté surgit à cet instant des décombres de l'injustice et du mal. La fin suprême de l'art est alors de confondre les juges, de supprimer toute accusation et de tout justifier, la vie et les hommes, dans une lumière qui n'est celle de la beauté que parce qu'elle est celle de la vérité», disait Camus dans une préface à un ouvrage d'Oscar Wilde. Si l'Histoire est une tour de Babel, Camus refuse de se placer parmi les architectes fanatiques de la tour, ou parmi les poètes incrédules qui jacassent; il est avec les involontaires ouvriers de cette tour à jamais inachevée : avec les hommes qui se laissent embaucher pour ce grand œuvre, mais qui voudraient aussi connaître le sens du mot «bonheur»...

Cette position honnête, rigoureuse, maladroite, était anachronique en 1957 : les littérateurs français de 1957 ne s'intéressaient ni à l'Histoire, ni au bonheur, ni à l'humanité, ni au simple problème d'une vie d'homme, mais seulement aux prestiges d'une actualité parisienne, «littéraire», anecdotique, sophistiquée, superficielle. Les hommes de lettres cultivaient alors l'ironie, l'élégance, le reportage ou le fanatisme. Il faut oser dire que

l'attribution du prix Nobel à Camus fut parfois accueillie par
des huées, et que la presse française mit tout son cœur à caricaturer un des trois seuls *grands* écrivains français (il y a aussi
Sartre et Anouilh) apparus entre 1940 et 1957. Kléber Haedens
refusait (à droite), de «célébrer l'homme à la bonne conscience
entre les dents, le champion immaculé des justes causes, le
docte adversaire de la peine de mort». Pierre Daix voyait
(à gauche), dans Albert Camus, «ici un endormeur, ailleurs un
prédicateur contre la révolution».

«Le prix Nobel couronne une œuvre terminée», tel était
aussi le titre de l'article de Jacques Laurent dans «Arts» du
23 octobre 1957. Ainsi Camus, officiellement consacré dans
le monde était enterré en France à l'occasion du prix Nobel.
Cependant, une enquête de l'hebdomadaire «Arts», dont le
directeur était alors précisément Jacques Laurent, révélait un
an plus tard que, dans les lectures et les goûts des étudiants
parisiens, Albert Camus venait en tête de liste, à la première
place. La carrière «universitaire» de l'œuvre d'Albert Camus,
deux ans avant sa mort, venait de commencer.

«On aurait pardonné à Camus son âge; on lui pardonne
moins d'être lu avidement par la jeunesse, et pas seulement
par celle de notre pays», écrivait dans «Preuves» Jacques Carat
en 1957. En 1964, sur ma table de professeur en Suisse, deux
thèses : l'une, publiée en allemand à Zürich, sur «l'Étrangeté
dans l'œuvre d'Albert Camus»; l'autre, soumise à mon jugement à Fribourg, sur «la Liberté chez Albert Camus», est écrite
par un frère canadien des Écoles chrétiennes. Et si l'on jette
un coup d'œil sur les registres de la Sorbonne, on y verra des
dizaines de professeurs suédois, américains, libanais ou chiliens
venus préparer en France un doctorat d'université sur Albert
Camus. L'affluence est encore plus grande pour ces «petites
thèses» que l'on appelle en France diplôme d'études supérieures, et à l'étranger «mémoire de licence» : dans la même
semaine, au cours du dernier mois, deux étudiantes sont venues
me proposer, l'une : «le thème de la mer chez Albert Camus»,
et l'autre : «le thème de la mère chez Albert Camus»...

Est-ce là, chez les étudiants, un snobisme ou un conformisme ?
Ni l'un ni l'autre sans doute. Nombre d'entre eux sont encore
à l'âge où un auteur né après 1900 leur semble parler un langage plus proche d'eux ; et, parmi les auteurs nés après 1900,
il faut bien constater que Camus leur paraît à la fois le plus
solide et le plus proche. Il est, en outre, un auteur « universitaire », puisqu'il est consacré (spécialement par le prix Nobel),
et qu'il est mort...
Devenu sujet de thèse, Camus a été découpé, retaillé, soumis
aux biopsies de l'érudition. Il n'est pas de pays important où
la technique du roman dans l'Étranger n'ait fait l'objet d'une
étude savante. A « Narrateur et narration dans l'Étranger »,
de Brian Fitch, succède « l'Art du récit dans l'Étranger » de
Maurice Barrier. Pour certains, comme Anne Durand dans
« le Cas Albert Camus, l'époque camusienne », Camus représente l'écrivain typique d'une époque. Richard Warrington
Baldwin Lewis le fait figurer aux côtés de Faulkner et de
Graham Greene dans la galerie des « saints picaresques » (The
picaresque saints). On trouve aussi les commentaires philosophiques : « la Métaphysique du bonheur chez Albert Camus »,
par Nguyen-Van-Huy. Et l'on cherche à classer Camus, à lui
appliquer des adjectifs, à le faire entrer dans des écoles et des
courants de pensée, comme Hazel Estella Barnes, qui découvre
en lui « l'existentialisme humaniste ». Aussi bien Pierre Auberey
étudie « Camus et la classe ouvrière ».
Ce ne sont que quelques exemples ; on pourrait citer cent ou
deux cents autres études précises, savantes, systématiques,
signées d'étudiants ou de professeurs de toutes les langues
et de tous les pays du monde. La « fortune » d'Albert Camus
déborde d'ailleurs le cadre de la littérature et de l'analyse
littéraire : Michel Laprade soutient à Bordeaux une thèse de
médecine sur Camus, « Essai de définition d'un humanisme
médical contemporain ». Et l'audience de rentrée de la cour
d'appel de Caen, le 16 septembre 1959, commence par un
discours de M. Devismes sur « la Justice selon Albert Camus ».
On pouvait se réjouir de cet enthousiasme. Mais il avait, entre

1957 et la mort d'Albert Camus, le défaut d'embaumer Camus vivant, en enfermant un écrivain dont la pensée n'était ni achevée ni refermée sur elle-même, dans une sorte de système pseudo-philosophique, de catéchisme « humaniste » ou universitaire. Et c'est bien ce que signalera Jean-Louis Curtis dans la « N.R.F. » de décembre 1963 à propos d'une visite à des étudiants américains qu'il surprit en train de mettre Camus en fiches de morale élémentaire : « D'un roman, ils attendent une vue générale du monde, un système philosophique, éventuellement des règles de vie. Ils ont tous lu l'*Étranger,* qui est une sorte de classique universitaire aux États-Unis, et ils savent très bien ce que l'auteur a voulu dire. » Là réside le malentendu, finalement aggravé par le prix Nobel, entre Camus et ses adeptes universitaires. Car les romans ne veulent rien prouver, ils expriment une recherche, et non un précepte, une recette, un système : « Le roman à thèse, l'œuvre qui prouve, la plus haïssable de toutes, est celle qui le plus souvent s'inspire d'une pensée *satisfaite* », avait-il écrit dans *le Mythe de Sisyphe.*

Apôtre de l'insatisfaction, Camus se trouvait transformé en philosophe et en moralisateur systématique, par les bonnes âmes, par des professeurs, et par les naïfs étudiants américains de Jean-Louis Curtis : « Ils ne se déferont pas facilement de l'idée que Camus est un chevalier de l'Absurde, et qu'au moment d'écrire la première ligne de son récit, il portait son message en tête, un message bien clair, à livrer avec le mode d'emploi. » Telle est, en 1957, la situation de l'œuvre d'Albert Camus : dévaluée aux yeux des snobs, des esthètes, des frivoles ou des fanatiques ; livrée à l'effroyable bonne volonté des pédants ; mais, aussi, largement ouverte, et devenue presque « populaire » pour des millions de lecteurs dans le monde. C'était aussi, vers 1880, le sort de Victor Hugo.

R.-M.A.

L'absurde dénouement

Camus chez Gallimard en 1959

L'impossible innocence...

« *La Chute* » *fit découvrir à ses admirateurs en 1956 un Camus inattendu, ricanant, démoniaque, influencé par les côtés sombres de Dostoïevski et de Faulkner. Sous le bavardage ironique de son juge-pénitent Clamence qui déclare tout .le monde coupable, on avait peine à se rappeler la merveilleuse innocence des silences de Meursault. Peut-on rêver contraste plus frappant entre les plages écrasées de soleil de son premier roman et cet « enfer mou... le plus beau des paysages négatifs » constitué par la perspective abstraite, presque géométrique sous la pluie persistante, de ces canaux où stagne une eau pourrie ? « J'aime marcher à travers la ville, le soir, dans la chaleur du genièvre. Je marche des nuits durant, je rêve ou je me parle interminablement. La Hollande est un songe, Monsieur, un songe d'or et de fumée, plus fumeux le jour, plus doré la nuit ». Et le triste héros de ce récit, « prophète vide pour temps médiocre », comme il se définit lui-même, semble une figure de cauchemar surgie en un moment de désarroi profond.*

... c'est au théâtre que Camus la retrouve ...

Le château d'Angers

Devant les magnifiques murailles du château d'Angers, Camus, en juin 1957, assure la mise en scène de « Caligula » et du « Chevalier d'Olmedo », de Lope de Vega, dont il vient d'écrire l'adaptation. Marcel Herrand — le créateur du « Malentendu » — lui avait déjà demandé pour le festival de 1953 une traduction de « La Dévotion à la Croix » de Calderon, ainsi qu'une adaptation de la comédie de Larivey, « Les Esprits ». Camus redécouvre le monde à la fois plus fantaisiste et plus rigoureux du théâtre, cette atmosphère de fraternité qu'il avait déjà connue dans les salles de rédaction ou sur les stades.

Représentation de « la Dévotion à la Croix » au festival d'Angers, juin 1953

... adaptateur, metteur en scène et inlassable animateur...

« Les Esprits »   « Les Possédés »

« Un cas intéressant »   « Le chevalier d'Olmedo »

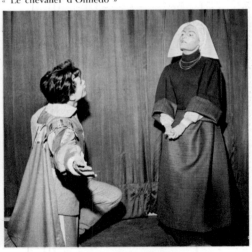

Dans ses nombreuses adaptations, Camus, qui ne devait plus faire après « Les Justes » d'œuvre originale pour la scène, manifeste son amour du théâtre. Il y satisfait à la fois son goût d'homme de lettres, épris d'une langue claire et pure, et son « métier » de réalisateur qui a des planches une connaissance intime. Outre les pièces destinées au festival d'Angers, les meilleures réussites en ce domaine sont « Requiem pour une nonne », d'après Faulkner, qui devait tenir deux ans l'affiche au théâtre des Mathurins, « Un cas intéressant », de Dino Buzzati et « les Possédés », tirés du célèbre roman de Dostoïevski.

Camus et Catherine Sellers, interprète du « Requiem pour une nonne »

Camus donne au roman dialogué, touffu et statique de Faulkner, une forte intensité dramatique et une structure musicale propre à traduire en chaque personnage le cheminement du thème de la grâce. Plus ambitieuse encore était la transposition de l'énorme roman de Dostoïevski. Comme pour Faulkner, Camus, encouragé par l'adaptation des « Frères Karamazov » de Jacques Copeau, procède par stylisation, suggérant par le décor ou la lumière les nécessaires coupures que nous résume le curieux personnage du narrateur qui n'est sans doute pas étranger à l'invention de Clamence, le héros de « La Chute ».

... *entre deux haltes de « simple bonheur ».*

Camus et ses enfants

Camus avait découvert Lourmarin en 1946. Il y séjourna durant les étés 1947 et 1948. Quelques années plus tard il achetait une maison dans ce pays rocailleux, grillé de soleil, qui lui rappelait l'Algérie, et où, tous les ans, il passera plusieurs mois, entouré de Francine, sa femme, de Jean et de Catherine, les deux jumeaux nés le 5 septembre 1945. Lourmarin, pour l'homme contraint de ménager une santé toujours déficiente, représente le calme, pour l'écrivain le lieu propice à la réflexion. Au cours de son dernier hiver il y travaillera à un roman, « le Premier homme », auquel il songeait depuis 1954.

La rue Albert-Camus à Lourmarin

cette éternité dérisoire »...

APRÈS LE PRIX NOBEL

« J'aurais voulu voir couronner André Malraux »

déclare Albert Camus

Un peu penché en avant, grave et simple, Albert Camus accueille dans le salon en rotonde de la maison Gallimard ses amis... et les autres venus pour le féliciter.

« J'ai appris la nouvelle comme tout le monde, hier soir, avant qu'elle soit officielle. Mais je n'osais y croire. D'ailleurs pour moi c'était une distinction inattendue : mon œuvre est inachevée, et j'aurais voulu voir couronner André Malraux, mon maître de toujours ».

« Le Monde » du 19 octobre 1957

Le prix Nobel de littérature est décerné à Camus le 17 octobre 1957 « pour l'ensemble d'une œuvre mettant en lumière les problèmes qui se posent de nos jours à la conscience des hommes ». Cette gloire internationale, qu'il est le neuvième Français à obtenir et qu'il accueille avec modestie, ne désarme pas ses détracteurs qui prononcent, en lieu d'éloge, son oraison funèbre. On s'empresse un peu trop parmi l'intelligentsia d'enterrer un homme qui a toujours préféré la contradiction aux simplifications hâtives. Pourtant, dans un monde défait par l'Histoire, il se sait porteur de valeurs et, sans se faire prêcheur de vertu, s'oblige à les transmettre. Il le déclare à Stockholm le jour de la réception de son prix : « Chaque génération, sans doute, se croyait vouée à refaire le monde. La mienne sait pourtant qu'elle ne le refera pas. Mais sa tâche est peut-être plus grande. Elle consiste à empêcher que le monde se défasse. »

La remise du prix Nobel

... face à la mort, « aventure horrible et sale ».

Villeblevin, 4 janvier 1960

Villeblevin, près de Montereau, sur la route de Sens à Paris, est devenu en deux jours tristement célèbre. Là, en pleine ligne droite, le 4 janvier 1960, la Facel-Véga de Michel Gallimard se déportait soudain et venait s'écraser contre un platane. Dans la voiture, tué sur le coup, Albert Camus ; on retrouve dans sa poche un billet de retour par chemin de fer non utilisé. La réaction générale est de stupeur devant cette « pichenette du destin » (Barrault). Pour certains qui veulent absolument que la mort respecte un certain style de vie, cette mort stupide convenait seule au chantre de l'absurde.

Mardi 5 janvier 1960

No 4.828

☩ COMBAT

LE JOURNAL DE PARIS
de la Résistance à la Révolution

25 fr. (0,25 NF)

Algérie 30 fr. (0,30 N F.) — Tunisie 27 mil.
Maroc 35 fr. — Italie 70 lires — Espagne 1 pes.

18, rue de Croissant, Paris-2e - CEN. 81-11
(3 lignes groupées)

ÉDITION SPÉCIALE

ALBERT CAMUS EST MORT

ALBERT CAMUS a trouvé la mort hier dans un accident de voiture sur la route nationale 5, près de Villeblevin, non loin de Sens.

La « Facel » « Vega », dans laquelle il se trouvait, roulait à vive allure et il semble que la pauvre arrière quitta la chaussée. La roue arrière quitta la chaussée. Folle un arbre, s'écrasa sur un second. Albert Camus, placé entre son siège et la carrosserie, fut tué sur le coup, tandis que les trois autres passagers, M. Michel Gallimard, Mme Gallimard (sa fille) étaient projetés hors de la voiture. M. Michel Gallimard, le plus grièvement atteint, a repris connaissance au cours de la nuit. Le corps d'Albert Camus repose à la mairie de Villeblevin.

Une conscience contre le chaos

ALBERT CAMUS meurt accidentellement à 46 ans, en pleine gloire, alors qu'il se mesurait, par sa mesure et sa sérénité grave contre les forces d'Occidentaux soumis à la panique, une raison dans un monde sourde que leur la panique raison dans un monde...

Étranger

Directeur « Combat »

Combat

...LA RÉSISTANCE ?

LA PRESSE DE TRAHISON
ne ouvrira pas à la...

Comprendre son époque

Prix Nobel

Fac-similé d'une lettre d'Albert Camus (5 janvier 1958) adressée à l'un de ses collaborateurs.

LE MEILLEUR DES NÔTRES

Il faut maudire un métier qui vous contraint d'écrire au travers des pleurs, et le bénir, pour ce qu'un Albert CAMUS ait pu lui donner tant d'années d'une vie brève...

CAR il ne s'est jamais servi de sa vertu...

Il souffrait. Il souffrait de l'Algérie, comme personne...

Il était las. Son corps était faible...

CAMUS ne passera pas...

Maurice CLAVEL.

Alain BOSQUET.

Dans les bureaux de la rédaction de « Combat » : Albert Camus, Jacques Baumel et André Malraux (de gauche à droite).

« *Mon royaume est de ce monde* ».

Stèle pour Albert Camus à Tipasa,
gravée par Louis Bénisti

Sous la pluie, à travers une brume qui estompe les villages isolés au milieu des terres labourées, dans un paysage imbibé d'eau et couleur de bure, si étranger à ce fils d'un pays de soleil et de lumière, le fourgon mortuaire roule vers Lourmarin. Les obsèques se sont déroulées dans la matinée avant que tous les amis, aussitôt prévenus, ne soient arrivés. Toute la nuit, Camus a été veillé dans la grande salle de la mairie de Villeblevin par les conseillers municipaux, les gendarmes et quelques paysans. Cette brutale disparition fait apparaître la place qu'occupait dans les consciences cet homme qui se voulait plus un témoin qu'un guide. Elle aggrave la déraison d'un monde emporté par l'Histoire. Ne restera-t-il comme trace du passage de Camus sur la terre que cette stèle édifiée à Tipasa, face à la mer, roche parmi les roches, retournée au silence et à la méditation d'une nature radieuse ?

Le fourgon mortuaire

Camus interviewé

CHAPITRE VIII

Le dernier visage de Camus

PAR PIERRE GASCAR

Son dernier visage... Je donne ici à ces mots leur sens immédiat: vers la fin de sa vie, Albert Camus a laissé parvenir jusqu'à nous, qui l'avons rencontré ou simplement croisé sur notre chemin, la lumière d'un regard dont le souvenir, aujourd'hui encore, entretient en nous un certain trouble. On la retrouve, cette lumière, dans les photographies qu'on prit de l'écrivain peu avant sa mort. Je les ai sous les yeux. Elles prolongent mon malaise. Sans doute, sommes-nous toujours enclins à voir, dans les derniers portraits des disparus, une tristesse prémonitoire, le sourire empreint de mélancolie par lequel les morts nous rappellent la distance qui les sépare de nous, les prive de voix, les réduit à ne plus délivrer que ce message sibyllin où s'expriment l'amitié, les regrets et comme un léger reproche.

Mais je ne m'abuse pas en affirmant que ce regard chargé de

tant de sentiments dont l'ambiguïté nous tourmente, Albert
Camus le posait sur nous et sur tous ses semblables bien avant
même de nous quitter. Il nous plaçait d'avance dans la lumière
de sa mort ; il devançait d'une certaine façon le silence dernier
et, découvrant par anticipation l'impossibilité de communiquer
avec les hommes, il nous faisait connaître à travers un demi-
sourire navré combien il nous aimait et combien l'amitié aurait
pu être belle, si nous l'avions mieux compris.

Ce visage laissait apparaître, dans les derniers temps, non pas
la fatigue ou l'usure, mais la légère boursouflure qui accompagne
souvent la maturité chez les Méridionaux. Il s'était mis à ressembler à celui, vieilli, du petit mendiant de Murillo ou, plus
encore, à celui du pied-bot de Ribera. Ce sont là deux enfants
espagnols solitaires et pensifs.

Il est significatif qu'au terme de toute une moitié de vie cet
homme, auteur d'une des premières œuvres de son temps et
au plus haut de la gloire, présente un visage qui rappelle la solitude de l'enfance, la tristesse solaire de l'Espagne et réintroduit
dans notre univers le rayon de lumière jaune avec lequel le petit
mendiant de Murillo semble converser.

Je ne me lasse pas d'interroger ce visage. Son humanité est telle
que divers âges et divers états s'y trouvent confondus, se
démentant les uns les autres. Dans le quadragénaire au front
ridé, se découvre un petit Espagnol aux yeux un peu en surface,
au crâne rond et légèrement surélevé. Dans l'écrivain dont le
regard, sous un certain angle, révèle l'assurance, la solitude
s'avoue. Et, dans l'homme qu'un vaste public écoute, perce le
regard de prisonnier du muet.

Le thème du mutisme volontaire, du mutisme adopté dans un
monde où le langage ne cesse de créer ou d'aggraver les malentendus, représente une constante dans les derniers ouvrages
de Camus et particulièrement dans les nouvelles de *l'Exil et le
royaume*. Forme déguisée d'une trahison chez l'héroïne de *la
Femme adultère* qui a cessé de se confier à son mari, expression
suprême du ressentiment, du reproche chez les ouvriers des
Muets, pudeur d'une fraternité difficile chez le Français de

l'Hôte, ce mutisme prend chez Jonas, dans *l'Artiste au travail,* une signification plus complexe et rejoint celui dans lequel l'auteur lui-même est tenté de s'enfermer.

Un peu plus tard (la rédaction des nouvelles de *l'Exil et le royaume* est antérieure à celle de *la Chute*), le délire verbal de Clamence, cet aveu impétueux qui, par son cynisme, s'épargne de tourner au repentir et détruit le monde à mesure qu'il progresse, comme si, possédé d'orgueil jusqu'au bout, l'homme n'acceptait de se confesser qu'en entraînant dans son propre avilissement l'humanité tout entière, ce torrent de mots destructeurs nous laissera l'impression d'un immense silence sous-jacent. Rien n'est dit. Rien ne pourra jamais être dit. Le plus simple est encore de se réfugier dans l'immobilité, comme Jonas. Les mains sur les genoux, il attend : « Maintenant je suis heureux. » C'est l'image ou l'esquisse, obtenue à bon compte, il est vrai, de l'état de grâce, de « l'hésychia », du repos, de ce silence du cœur et des pensées auquel aspiraient les anachorètes chrétiens.

La mort constituerait, sans doute, un recours plus sûr encore, un refus plus marqué, mais il semble que le muet ne veuille pas tout à fait disparaître. Il se veut exemple, exemple édifiant, propre à susciter les remords. Il a besoin de faire peser sur nous son regard éclairé par un demi-sourire que teinte la tristesse. Il nous aime et veut nous signifier que c'est à nous qu'il appartient de l'amener à sortir de la retraite qu'il s'impose, à mettre fin à la punition qu'il s'inflige. Cette punition, il sait qu'il l'a méritée, mais il sait aussi qu'il l'a méritée en même temps que nous. Nous n'avons pas compris ou nous avons mal interprété ses paroles, du temps qu'il parlait. Il soupçonne bien que ses paroles n'ont pas toujours été les bonnes. Il attend que nous les oubliions, que nous lui tendions la main (que ne donnerait-il pas pour que nous fassions ce geste !) et que nous recommencions avec lui, tous ensemble, notre histoire à partir du silence originel, à partir d'une pureté générale retrouvée.

A plus de quarante ans, Camus consacre le meilleur de son talent à des œuvres qui peuvent sembler avoir le ton d'une conclusion amère. Le héros de *la Chute* a bouclé la boucle et se survit dans

une confession qui, ne se voulant qu'une maïeutique destruc-
trice, ne parvient pas à le libérer ; le peintre de *l'Artiste au
travail,* las des malentendus qu'il n'a d'ailleurs jamais tenté de
dissiper, se réfugie dans l'immobilité et le laconisme des malades
mentaux qu'on appelle des catatoniques ; et on ne voit pas quel
avenir possible attend le « renégat » de la nouvelle qui porte ce
titre, ou même la « femme adultère ».

Il ne s'agit pas là seulement d'un pessimisme fondamental,
mais bien d'un désenchantement, d'une déception dont, dans
une certaine mesure, nous semblons être la cause. Il est vrai
que toute expérience morale profonde à laquelle se livre l'individu pour reconquérir sa totalité, retrouver sa paix intérieure,
se délivrer du sentiment de culpabilité et combler les insuffi-
sances dont il souffre débute par une mise en accusation du
monde, par une rupture avec la communauté humaine. On ne
se retrouve d'abord qu'en se séparant de l'espèce (les motifs ne
manquent pas), même si plus tard la paix reconquise doit
dépendre de l'espèce et de nos échanges avec elle. La solitude
n'est ici que la forme la plus sévère de la solidarité.

A une certaine époque, quatre ou cinq ans avant sa mort
environ, Camus a commencé de paraître en froid avec ses semblables. J'emploie cette expression familière afin d'indiquer le
degré qu'avait atteint l'altération des rapports entre l'écrivain
et nous-mêmes. Je ne voudrais pas qu'elle suggérât l'existence,
chez l'écrivain, de quelque mouvement de susceptibilité, de
quelque blessure d'amour-propre. Camus souffrait non dans
son orgueil mais dans son amitié pour les hommes, amitié
incomprise, pleine de malentendus, si bien qu'il est permis de
dire que jamais être humain ne fut aussi chaleureusement en
froid avec le monde.

Comme je le dis plus haut, c'était là le signe d'une catharsis,
d'une entreprise de purification dont toute l'œuvre antérieure
de l'écrivain représente les prémices. Le besoin qu'il éprouve
alors de rétablir entre lui et le monde la distance que sa notoriété et son action publique ont abolie aurait pu le conduire
vers quelque retraite. Mais la présence d'autrui, sa vraie pré-

sence et non la pression aveugle de la foule appâtée par la gloire, est nécessaire à sa vie. Il ne gagnera pas le domaine retiré, la tour d'ivoire : il restera parmi nous et adoptera pour un temps une forme déguisée de mutisme. Renonçant à son rôle public, et, notamment, à exprimer sa pensée au moyen du journalisme ou dans ces textes auxquels il donne le titre d'*Actuelles*, décidé à revenir, dès qu'il en aura le loisir, à une littérature plus secrète que celle qui a assuré sa célébrité, il se consacre pour le moment au théâtre, qu'il appelle son « couvent ».
L'adaptation d'auteurs étrangers lui permet, en outre, de se taire en ayant l'illusion de parler. Ainsi, il fait représenter *les Possédés* de Dostoïevski et, grâce à la confession de Stavroguine, il peut rêver qu'il pousse cette fois l'aveu et l'humilité plus loin qu'il ne l'a jamais fait dans le monologue de *la Chute*, qu'il se livre enfin à la contrition qu'il s'est alors en partie refusée.
Ce désir de se consacrer au théâtre, non pas en tant que créateur proprement dit qu'en tant qu'adaptateur, metteur en scène, voire acteur, constitue la forme la plus significative du mouvement de retrait qui caractérise le comportement de Camus vers la fin de sa vie. L'amertume de ses derniers écrits, les énigmes qui y abondent, l'éloge du mutisme qu'on peut y lire en maints endroits nous révélaient déjà l'existence de cette « brouille » qui, d'une façon insidieuse, progressive, se produisit entre lui et nous quelques années avant sa mort. Son regard, le souvenir que nous en gardons, les photographies qui le prolongent nous la rappellent. Aujourd'hui encore et pour toujours, nous sommes placés en face d'un être à la fois fraternel et lointain.
Comment en sommes-nous arrivés là? D'abord à la suite d'un phénomène que je qualifierai d'historique. Camus a été la proie de son époque. Son talent, son intelligence, son honnêteté l'y prédisposaient en un temps où la France sortait d'une guerre qui, dans la mesure où elle avait suscité un esprit de résistance, lui avait redonné le sens et le goût des vertus simples.
Le moralisme est un besoin propre à la France. Nous appartenons à un pays qui fait passer Montaigne avant Descartes, qui

ne retient en général des *Pensées* de Pascal que celles qui ne
relèvent pas d'un trop grand mysticisme, qui apprend à lire
dans La Fontaine, qui n'admet la poésie que didactique, prône
l'équilibre dans la pensée et les sentiments, comme si la simplicité — toute relative, d'ailleurs — de nos paysages impliquait
en nous un paysage mental également ordonné. Un pragma-
tisme ancestral nous conduit, lorsque nous nous trouvons en
face de quelque théorie philosophique et, aussi bien, devant
quelque tentative de l'art, à des conclusions rapides où nous
puissions trouver notre confort. Nous faisons en sorte que les
écrivains nous apportent des règles de vie et de pensée, et non
pas une forme quelconque de l'inquiétude, du trouble.
L'œuvre et la personnalité de Camus permirent que ce malentendu s'établisse dès les premiers instants. Quelques thèmes,
présents à plusieurs endroits de cette œuvre, y suffirent : le
refus de tout ce qui peut porter atteinte à l'individu, à son inté-
grité physique ou morale, refus qui notamment amena Camus
à s'élever contre la peine de mort ; la dénonciation de l'asservissement de l'homme sur lequel débouche la révolte politique ;
l'affirmation du caractère individuel de la liberté qui exclut
tout engagement d'ordre social ; l'esquisse d'une spiritualité
sans dieu ; la recherche d'un nouvel humanisme...
Je n'entends pas caricaturer ici la pensée de Camus dont le
propre était justement de ne pas se laisser enfermer dans
d'aussi sommaires rubriques. Si elle se prêta finalement à cette
schématisation et si Camus peut aujourd'hui, par exemple, être
cité presque aussi souvent que Saint-Exupéry par les élèves
des classes terminales des lycées qu'on interroge sur leurs
préférences littéraires, c'est à la suite d'un certain nombre de
circonstances qui méritent d'être examinées de près.
Il convient d'observer cependant que Camus favorisa parfois,
sans le vouloir, cette adhésion confuse du public à sa pensée,
à son œuvre. Je ne parle pas ici de son talent proprement dit,
de son style d'une fermeté et, en même temps, d'une souplesse
peu communes qui, sans doute, contribuèrent à son prompt
succès. Je parle de son attitude morale qui, dans une époque où

l'esprit se trouvait sans cesse déchiré, fit croire parfois, sans que les interprétations abusives du public soient en cause, que l'écrivain détenait la sagesse. L'intelligentsia existentialiste et, d'une façon générale, la gauche intellectuelle qui, pendant un certain temps, avaient rangé Camus parmi les leurs, bien qu'il ne leur fournît guère de gages, virent dans ce moralisme une dissidence, presque une désertion. Camus se refusait notamment à considérer l'être humain comme un personnage historique et la liberté qu'ainsi il lui reconnaissait semblait relever d'un nihilisme bourgeois. Aussi, on ne l'épargna pas. En matière de polémique, les philosophes ont souvent la plume lourde. Des coups qu'il reçut, Camus

Saint-Exupéry

devait garder une amertume qui ne le quitta pas jusqu'à la fin de sa vie. Dès lors, sans cesser d'être dictée par ses sentiments les plus profonds, par ses convictions les plus sincères, son attitude s'accompagna du souci de marquer son opposition aux thèses de la gauche intellectuelle française. Rien n'était résolument faussé mais, à la spontanéité première, se substituait parfois un certain raidissement.

Les sarcasmes à l'égard de cette portion de « l'élite pensante », sarcasmes fort éloignés du ton habituel de l'écrivain et qu'on trouve dans *la Chute* (mention y est faite des « humanistes professionnels »), dans les *Carnets* (l'auteur y parle des « parvenus de l'esprit révolutionnaire, nouveaux riches et pharisiens de la justice »), ainsi que dans *l'Exil et le royaume* (de l'aveu même de Camus, le personnage du « renégat » représente un chrétien progressiste) trahissent une certaine mauvaise humeur et même un certain parti pris. La querelle se trouve ramenée à des proportions presque dérisoires et appartient dès lors moins à l'histoire de la gauche qu'aux petites histoires de la rive du même nom.

Mais, bien qu'il s'en irrite, Camus sait que les griefs dont il est l'objet ne viennent que nourrir injustement un procès initial qui lui est intenté et où il doit répondre, cette fois, à une accusation parfaitement fondée. « Mes rapports avec mes contemporains étaient les mêmes, en apparence, et pourtant devenaient subtilement désaccordés, dit Clamence, dans *la Chute*. Mes amis n'avaient pas changé. Ils vantaient toujours, à l'occasion, l'harmonie et la sécurité qu'on trouvait auprès de moi. Mais je n'étais sensible qu'aux dissonances, au désordre qui m'emplissaient ; je me sentais vulnérable et livré à l'accusation publique... » En un mot, c'est le juge à son tour jugé.

Choqué par les attaques de Sartre et de ses proches, mais choqué aussi psychologiquement, au point d'avoir, comme dans un éclair, une vision plus nette de la réalité (du moins, tout permet de l'imaginer), Camus peut désormais considérer avec une certaine distance la position morale où, après la guerre, on l'a hissé. C'est assez pour se sentir coupable. « La vie, ses êtres et ses dons venaient au-devant de moi ; j'acceptais ces hommages avec une bienveillante fierté. En vérité, à force d'être homme, avec tant de plénitude et de simplicité, je me trouvais un peu surhomme. » *(La Chute.)* « Rêver de morale quand on est homme de passion, c'est se vouer à l'injustice dans le temps même où l'on parle de justice. » (Préface à *l'Envers et l'Endroit*, 1954.) Sa vie privée, les accommodements qu'il a su — ou cru — y trouver entretiennent aussi en lui le sentiment de la faute : « L'adultère est en état d'accusation devant celui ou celle qu'il a trahi. Mais il n'y a pas de sentence, ou plutôt la sentence, insupportable, est d'être éternellement accusé. »

Mais, ainsi que le titre de juge-pénitent qu'il donne à Clamence l'indique, l'auto-accusation, l'acte de contrition, toujours imparfait, toujours douteux, au demeurant, ne cesse, à aucun moment de s'insérer dans une dénonciation générale et de relever d'une morale nihiliste. Apparemment, *la Chute* devrait être une constatation tranquille, désabusée des irrémédiables travers de l'espèce, de l'éternel malentendu, et devrait ainsi s'achever sur la paix définitive, sur la sagesse, ou, au moins, sur le confort de la damnation. Il y a, dans cet ouvrage douloureux, le désir du dernier mot, du trait qu'on trace au bas du bilan, le besoin de l'absolution implicite que nous vaut, au moins, le fait d'avoir tout dit.

Mais on n'a pas tout dit (d'ailleurs, peut-on jamais tout dire?) et quelques symboles imprécis, les colombes, la neige, viendront suggérer avec une extrême discrétion une pureté plus grande, possible quelque part, une vraie rédemption en suspens entre le ciel et les hommes. L'auteur ne peut se résigner à refermer tout à fait l'enfer sur lui-même. Tout est dit, en apparence, certes. Mais il reste les chances du silence. Combien est singulière et émouvante cette démarche d'esprit de l'écrivain athée qui, ayant toujours refusé le ciel, ne peut s'empêcher, au terme de cette condamnation du monde, de lui arracher un signe au moins, la chute de quelques flocons de neige et avec eux l'ombre d'une bénédiction!

En fait, le spiritualisme qui transparaît à la fin de *la Chute*, et qui déconcerte aujourd'hui encore les exégètes, révèle chez Camus une contradiction profonde. Le besoin de confession totale qu'éprouve Clamence, bien que cette confession pleine de détours se complaise dans le cynisme et s'accompagne de la dénonciation des défauts et des vices de l'espèce, est par essence chrétien. La pensée de Camus, dans les derniers ouvrages qu'on lui doit, est, au sens propre du mot, et je n'hésite pas à l'écrire, chrétienne. Le sentiment de la faute ou, plus exactement, l'obsession de la faute, la conception de la liberté individuelle ou plutôt du libre arbitre, l'emploi constant des mots de pureté, d'innocence, de justice, tout le rattache, sinon à la religion, du moins à l'humanisme chrétien.

De la religion, il emprunte même, et comme à son insu, les recettes. Clamence, le héros de *la Chute*, applique la morale dite «apotactique» des saints et des anachorètes des premiers âges chrétiens : il renonce au monde, il part, coupe les liens, choisit l'exil. Cet exil ne le transporte pas, certes, dans les déserts égyptiens où se desséchait saint Macaire, mais en Hollande et de nos jours. Il n'importe. Clamence n'en parvient pas moins à se placer en marge du monde pour y épuiser toutes ses chances de salut. De la même façon, Jonas, le peintre de *l'Artiste au travail,* adoptera dans son appartement parisien l'attitude du stylite : il observera la plus grande immobilité et le silence, car on sait depuis bientôt deux mille ans que c'est ainsi que l'on rejoint la vérité de Dieu.

Refusant la foi, encore que très souvent le comportement de ses personnages en impose l'idée, Camus a inconsciemment recours à un subterfuge et substitue à Dieu une vague divinité solaire (dans ses premiers écrits), un vague âge d'or humain. La grâce reste, dans une certaine mesure, méditerranéenne, et ce n'est pas pour rien que le héros de *la Chute* pleure devant le ciel gris de Hollande où des flocons de neige voltigent. L'allégorie géographique remplace ici le schéma de la théologie : on ne saurait, avec plus de fidélité, reconstituer le purgatoire. Le cynisme, le pessimisme, mais aussi le timide espoir de *la Chute* semblent trahir, chez Camus, le besoin d'exorciser la période difficile qui s'est ouverte pour lui peu après la guerre, de liquider les conflits dans lesquels il a été engagé depuis dix ans. Vers 1956, on observe dans ses écrits la lumière d'une «vita nuova». L'écrivain, en dépit de sa santé souvent encore défaillante, forme de nombreux projets et envisage notamment de consacrer une grande partie de ses forces au théâtre où la littérature retrouve vigueur et se discipline à l'intérieur du cadre contraignant d'une action. La querelle qui l'opposa à une partie de la gauche intellectuelle est déjà à peu près oubliée. On sollicite moins le moraliste qui reprend alors son vrai visage, celui de l'écrivain assumant dans une discrète solitude les incertitudes fructueuses de la création, de l'art.

La Chute, sa violence démystificatrice que traduit le style même de l'ouvrage, avec son humour corrosif, son refus de la moindre concession au lyrisme, a marqué la fin de l'équivoque. L'écrivain, jadis porteur d'oracles, s'est vu dans sa vérité misérable au sein d'un monde désorienté ou vil. A défaut d'une rédemption par le ciel auquel il n'ose se référer, lui prêtant seulement d'invisibles colombes ou l'allégorie ambiguë des flocons de neige, il connaîtra la rédemption par l'œuvre. Le ciel (si j'ose ici le mettre en cause) lui en a fourni les moyens : un talent éclatant, une grande intelligence, une sensibilité divinatrice. En un mot, Camus va rejoindre sa vocation qui, on aurait fini par l'oublier, n'a jamais cessé d'être et reste une vocation artistique.

On estimera peut-être que je me livre ici à une discrimination artificielle et on y opposera l'unité de l'écrivain. Je ne la tiens pas pour acquise. L'écrivain ne saurait, sans cesser d'être parfaitement lui-même, traiter n'importe quel sujet, même si sa sincérité du moment l'y porte. Sa qualité exceptionnelle réside moins dans sa conscience que dans son pouvoir de divination, son instinct de dissidence, bref, dans tout ce qui le retranche de la foule. Plus que tout peut-être je redoute le pouvoir de contamination des réalités et des faits immédiats auxquels, vivant en société, l'écrivain naturellement s'expose. L'exercice de l'art — faut-il le rappeler ? — implique une certaine distance entre le quotidien et soi, et si, dans un mouvement de fraternité, dans un désir généreux de participation, l'écrivain, trompé par les équivoques du langage, car après tout le langage du secret est fait des mots de tous les jours, est tenté d'abolir parfois cette distance, qu'il sache bien qu'il risque alors d'ajouter à la confusion générale.

Camus allait donc revenir à une conception moins sociale (j'entends : moins directement sociale) du rôle de l'écrivain lorsque intervinrent des événements qui constituaient la plus forte provocation morale à laquelle pût être exposé un homme né de l'autre côté de la Méditerranée : la guerre d'Algérie commençait. Elle allait contraindre chaque Français, quelles que fussent ses opinions, ses croyances qui souvent, d'ailleurs, étaient restées jusqu'alors assez indéterminées, à prendre parti.

Camus, lui, n'avait pas à prendre parti. L'Algérie était sa terre natale et, bien qu'il l'eût quittée depuis plusieurs années et sans manifester l'intention de s'y établir de nouveau un jour, il continuait de vivre avec elle dans une sorte de symbiose organique, comme la plupart de ses livres en témoignent. La Méditerranée, plus peut-être qu'aucun autre lieu du monde, a vu naître, tout au long de l'Histoire, des races nouvelles et l'on ne saurait nier que celle que composaient les Algériens de souche européenne en constituait une très particularisée, en dépit de ses caractères multiples. On comprend donc que, tout ennemis qu'ils étaient du racisme et du colonialisme, certains hommes nés sur cette terre aient connu, avec ce conflit, un déchirement où leur esprit ne se retrouvait plus. Camus était de ceux-là. Les souffrances de l'Algérie — et les siennes propres — loin de le conduire à un choix politique, l'amenèrent à se placer au-dessus des factions, des partis, au-dessus des raisons mêmes qui justifiaient la lutte aux yeux de ceux qui y étaient engagés.

Ce n'était pas la première fois, nous le savons, qu'il prenait ainsi ses distances avec l'événement, paraissant alors, comme on dit, juger de Sirius, et, lorsqu'il avait témoigné, on avait pu parfois être un peu agacé par l'impartialité condescendante qu'il affichait et par ce que gardait d'énigmatique sa morale. Il semblait alors plus attaché à la dignité présente de l'homme qu'inquiet de son devenir, et certains voyaient dans cette exaltation de la liberté individuelle les détours d'une pensée finalement conservatrice. D'autres dénonçaient ce balancement mesuré entre les extrêmes, par quoi se trahissent la passivité, l'indifférence, le goût du confort intellectuel.

Avec la guerre d'Algérie, ce refus de l'engagement cesse d'apparaître, chez Camus, comme un excès de scrupules ou une forme de l'orgueil de l'esprit, pour devenir l'expression de l'impuissance douloureuse, du désespoir. Mais beaucoup d'intellectuels ne le virent pas. Ils accusèrent Camus de se réfugier dans l'attentisme ou conclurent qu'il ne souhaitait pas des réformes aussi étendues que celles que le peuple algérien insurgé appelait de ses vœux. Le malentendu revenait, et la vieille querelle, au moment même où l'écrivain, impatient de retrouver le langage du lyrisme, le chant intérieur, éprouvait le besoin de

se séparer un peu de ce monde, d'en retrouver ailleurs, dans
l'art, la vie secrète, l'image préservée. Camus est de nouveau
happé par son époque. Mais a-t-il pu un seul instant échapper

Camus sur la terrasse de son bureau à la N.R.F., rue Sébastien-Bottin

à son temps ? Il se trouvait prisonnier à l'intérieur de l'homme
public que son talent, sa loyauté, la faveur de la foule et les circonstances avaient fait de lui. Au moindre événement, on le
sommait d'être juge. Sans doute, s'était-il parfois prêté au jeu,
mais ses complaisances passées ne justifiaient pas que lui soit à
jamais retirée sa liberté, j'entends la liberté d'avoir tort ou de
se taire, pour le moins.
En se penchant sur les dernières années de Camus, on découvre
qu'on ne saurait causer un plus grand tort à un écrivain que
de voir en lui une haute et imperturbable conscience. C'est une
sacralisation dont il ne se relève pas.
Alors que, pendant la guerre d'Algérie, il était occupé à défendre
désespérément son silence, seule expression possible de son
déchirement, Camus reçut le prix Nobel de littérature. On

pensa qu'ainsi couronné il ne pourrait plus se soustraire et que la guerre d'Algérie qui, à la longue, rendait inconfortables tous les partis pris, allait trouver enfin son juge suprême. Mais le juge ne parut pas. Les paroles qu'à l'occasion du prix Nobel Camus prononça au sujet de la guerre d'Algérie, loin d'avoir le ton des vérités majestueuses, des oracles, trahirent le désarroi de l'homme, la confusion de ses sentiments.

C'en était assez pour que nombre d'intellectuels et d'écrivains français qui, parfois, n'avaient pas pris part à la querelle ayant opposé Camus à Sartre et à l'extrême-gauche, vissent dans le choix que venait de faire le jury du prix Nobel une injustice, une scandaleuse erreur. Dans les attaques dont Camus fut alors l'objet, sans doute peut-on relever les marques de la jalousie confraternelle, de l'hostilité politique, mais je crois qu'une autre forme de déception les expliquait. Camus ne répondait pas à l'attente. Comment aurait-il pu y répondre puisque ceux qui attendaient qu'il parlât regardaient au-delà de son vrai visage, sollicitaient le double qui désormais se profilait derrière lui? Il n'était pas concevable qu'il lui prêtât sa voix. Il lui arriva de laisser parler son cœur, mais alors le public trouva inconvenant, dérisoire, le murmure qui s'échappait de la statue.

C'est à cette époque que certains intellectuels et écrivains, se méprenant sur son silence ou l'interprétant selon leurs souhaits, proclamèrent que Camus était fini. Il n'était pas fini. La demi-retraite qu'il choisissait allait lui permettre, au contraire, de retrouver sa vérité qui, dans la confusion générale, avait subi quelques atteintes. Loin de décliner, il recommençait de vivre à travers le silence douloureux que la guerre d'Algérie l'obligeait à observer. Il n'était pas mauvais, après tout, que cet homme à qui son époque s'était empressée de donner la parole et qui avait cru devoir la prendre souvent (encore que c'eût été toujours pour de justes causes) se vît réduit au laconisme, puis au mutisme, par la guerre qui ravageait sa terre maternelle. Il était temps que, chez lui, l'intelligence cédât un peu devant l'innocence du cœur. Il semblait, depuis quelques années, avoir fui les passions, et la plus obscure de toutes : l'attachement à un sol, à des souvenirs de jeunesse, le pliait maintenant à ses lois. Il fut encore tenté cependant de refuser le silence qu'elle lui imposait et il voulut parler de cette Algérie qui était devenue son tourment. Dans *Actuelles III*, il crut devoir adopter le ton du théoricien et, dans le déchaînement des sentiments extrêmes, pensa qu'il importait de proposer des mesures pratiques, des réformes pouvant être approuvées par l'un et l'autre camp. Il était trop tard : la guerre d'Algérie avait politiquement pris sur lui une avance. On savait désormais qu'il ne pouvait y avoir d'autre solution que celle qu'impliquait le rapport des forces en présence. On en était venu, là aussi, à penser Afrique, Tiers Monde, Amérique, Russie, alors que, derrière ses théories, Camus, comme tant d'autres, continuait à penser à Tipasa. Le livre eut peu d'audience. On renvoyait enfin l'écrivain à ses rêves. Mais, depuis quelque temps et malgré cette ultime tentative d'acte public, ses rêves, Camus les avait déjà retrouvés. On observe, dans ses derniers écrits, la réapparition des paysages. Ils abondent dans les nouvelles de *l'Exil et le royaume* et le bonheur que l'auteur éprouve à les recréer — toujours avec une sûreté admirable — transparaît dans chaque mot, chaque ligne. Dans *la Chute* même, les paysages sont présents sous des couleurs volontairement désespérantes. C'est que, dans ce livre, il s'agit de paysages de l'expiation ou d'une sorte d'ascèse. Le paysage ne perd jamais, chez Camus (et nous retrouvons là les ambiguïtés de son agnosticisme) son éclairage divin. Il est « regard », regard d'une puissance supérieure. Par la lumière qui baigne la création, l'homme se trouve déjà jugé. On pourrait même reprocher parfois à Camus de donner une valeur allégorique aux réalités naturelles au milieu desquelles il place ses personnages. L'âpreté des plateaux de l'Atlas répond un peu trop bien au désert dont l'héroïne de *la Femme adultère* sent en elle la présence ; les ardeurs sahariennes et l'éclat cruel de la ville de sel nous restituent trop fidèlement l'enfer moral où le « renégat » s'est enfermé, dans la nouvelle intitulée *le Renégat* ou *Un esprit confus* ; la luxuriance de la forêt brésilienne, dans *la Pierre qui pousse*, rappelle trop certaine fertilité de la pen-

sée païenne qui menace d'étouffer la maigre semence de Dieu...
Ce goût du symbole, du symbole que, seule, la nature propose
lorsqu'elle a conservé sa pureté originelle, trahit, chez Camus,
une forme obscure du sentiment religieux. Ici, traditionnelle-
ment, la poésie et la spiritualité se rejoignent. La pensée classique, la pensée nourrie de l'humanisme chrétien que, tout en
le niant, le XIXe et le XXe siècles laïques prolongent, veut que le
monde signifie, ne se sépare jamais totalement de l'homme,
représente, de quelque manière, le lieu d'une communication
entre la créature et le principe créateur. Mais si l'on accepte
que l'homme soit donné une fois pour toutes dans le monde
et se définisse par rapport à lui, il n'est plus permis de parler
d'absurde, pour cruelle et injuste qu'apparaisse souvent cette
situation. De là naît la contradiction qui se manifeste chez Camus
tout au long de sa vie et qui, dans ses dernières années, l'amè-
nera à amorcer une espèce de conversion. Il ne s'agissait pas
toutefois d'un engagement spirituel systématique, de l'adoption
d'une foi reconnue. Camus se convertissait seulement à un certain silence dont nous savons bien qu'il s'accorde en fin de
compte avec le silence de Dieu. Je veux parler du silence de l'art.
Promu juge par son époque, à son corps défendant, et ayant
affermi cette position de juge en se mettant lui-même en accusation, ce qui avait pour effet de montrer que le procès général
existait bien, Camus n'avait pas tardé à se trouver dans la plus
étroite impasse. Le procès ne pourrait jamais plus finir. Un
mouvement d'accusation se trouvait déclenché qui allait tourner en rond sans fin, comme le laisse prévoir le tragique monologue de *la Chute*, et qui allait anéantir les valeurs existantes (de
fausses valeurs, il est vrai) sans jamais en faire naître d'autres.
Situation sans issue. On ne peut bâtir une morale sur la seule
dénonciation du mal et c'est pécher contre les hommes que de
leur parler de pureté possible, d'innocence perdue, sans leur
parler de Dieu.
Camus semblait, à la fin de sa vie, avoir pris conscience de cette
contradiction et savait, sans doute, qu'elle ne pourrait jamais
chez lui être éliminée par un processus intellectuel quelconque.

L'irrationalisme de l'art, la dialectique poétique ou la création romanesque permettaient seuls à l'écrivain d'assumer sans souffrir cette contradiction, de la noyer dans le mouvement de la vie et de la sensibilité.

« Nos plus grands moralistes ne sont pas des faiseurs de maximes, ce sont des romanciers », écrivait Camus dans une *Introduction à Chamfort*. « Cet art (le roman) est une revanche, une façon de surmonter un sort difficile en lui imposant une forme », écrivait-il, un peu plus tôt, dans *l'Intelligence et l'échafaud*. Soucieux cependant de faire la part belle à ses préoccupations spirituelles, dans ce mariage idéal de la pensée et de l'art, ce fut d'abord dans Dostoïevski que Camus chercha un exemple. Lorsqu'on sait que, dans ses dernières années, il demandait au contraire cet exemple à Tolstoï, on mesure l'évolution qui l'éloignait à jamais de la morale didactique dans laquelle il avait failli s'enfermer.

Parmi ses projets, figurait celui d'un livre, un roman ou un récit, qui aurait eu pour titre *le Premier homme* et dont les pages initiales furent retrouvées dans ses papiers, après sa mort. *Le Premier homme*, voilà qui rend encore le son d'une philosophie, d'une ontologie et sous-entend la recherche d'une éthique. Cependant des signes nombreux dans l'attitude d'Albert Camus vers la fin de sa vie et ce sourire sur son visage, ce sourire où pouvait se lire, à travers une légère mélancolie, une ironie fraternelle, nous permettent de penser qu'il avait retrouvé, intact, son amour de l'homme, parce qu'il avait enfin accepté, au terme d'un cheminement difficile, notre commune et ténébreuse vérité.

P. G.

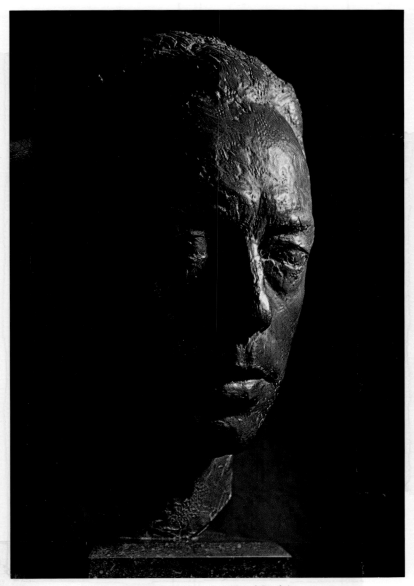

Buste d'Albert Camus, par Marcel Damboise

CHAPITRE IX

Camus
et
son destin

PAR PIERRE DE BOISDEFFRE

La brièveté d'une œuvre, une vie célèbre, une mort violente, n'apportent pas la preuve du génie. Mais elles signent, d'un trait de feu, une destinée exemplaire. Ce n'est pas un hasard si Pascal, non plus que Rimbaud, n'atteignit la quarantaine. Péguy ou Saint-Exupéry ne la franchirent que de peu. Heureux les écrivains enlevés avant l'automne! Eux, du moins, n'auront pas subi l'offense de l'âge, et la dégradation d'une œuvre qui finit par ressembler à sa propre caricature. Il m'arrive de penser que Valéry nous paraîtrait plus grand encore s'il était mort au lendemain de *la Jeune Parque;* que la vraie chance de Péguy, d'Alain-Fournier lui-même, fut d'être enlevés à la guerre. Comme les disputes actuelles sur l'œuvre de Camus et son avenir nous paraîtraient vaines s'il avait été fusillé à trente ans, comme son ami René Leynaud ! Chacun reconnaîtrait alors,

sans la moindre hésitation, que le grand roman français de cette
guerre, c'est *l'Étranger*. C'est peut-être la chance d'Albert
Camus, célèbre à trente ans, mort à quarante-six, d'avoir été mis
tragiquement par la mort à l'abri des médiocres jeux qui composent trop souvent la vie littéraire.

O h! vieux monde, il faut partir... Adieu, braves gens, vous
apprendrez un jour qu'on ne peut pas bien vivre en sachant
que l'homme n'est rien et que la face de Dieu est affreuse... »
Comment ne pas se rappeler ces paroles devant cette basse et
brillante voiture déchiquetée contre un platane au lieu dit
Villeblevin, non loin de Sens, le 4 janvier 1960? « Un bruit
terrible! Il a suffi d'un bruit terrible et le voilà retourné à la
joie de l'enfance. »
Une vie si brève et si pleine, que l'Histoire a placée si tôt dans
sa vive lumière, a quelque chose de fascinant. Le petit orphelin
de Belcourt apparaît, dès l'âge de vingt ans, en possession
surprenante d'un style, d'une expérience, d'une pensée adultes,
comme s'il était né fils de prince, et non l'enfant pauvre d'un
ouvrier agricole. Il a vingt-deux ans, pas davantage, lorsqu'il
écrit les textes que recueillera, un an plus tard, son premier livre,
l'Envers et l'Endroit. Un livre qu'il se refusera longtemps à
rééditer, « parce qu'à vingt-deux ans, sauf génie, on sait à peine
écrire ». Mais déjà, au son de la flûte « aigre et tendre » des
cigales, parmi les lentisques et les roseaux, le jeune Camus a
trouvé la « source unique » à laquelle toute son œuvre va s'abreu-
ver : le contrepoint déchirant qui unit, dans l'existence de tous
les hommes, le soleil et la mort, l'art et la souffrance, « la mer et
les prisons ». Un an plus tard, il trouve sa propre voix : celle
qui sourd à travers les descriptions de *Noces* comme le chant
profond d'une âme en exil.
A trente ans, Camus, sur l'essentiel, a tout dit. A travers *l'Étranger*, livre-clé, livre-sommet, et *le Mythe de Sisyphe*, parus tous deux
au solstice ambigu de 1942, l'époque s'est livrée dans sa vérité,

et cette vérité s'est élevée au niveau du mythe. Même *la Peste* ne devait pas avoir cette tension fulgurante, cette sourde et déchirante densité. A ces livres, la Libération devait donner une résonance universelle. En raison, certes, du malentendu un peu sot qui, l'espace d'une saison littéraire, devait lier l'œuvre de Camus au triomphe éphémère d'un existentialisme vulgarisé et travesti en humanisme. Mais surtout parce que son auteur nous est apparu comme le pur et juvénile symbole d'une France blessée mais lucide, anxieuse et révoltée. Nous avions appris quelle duperie pouvait abriter, fût-ce inconsciemment, la politique et la littérature des bons sentiments. Après quatre années de Péguy servi à la sauce vichyssoise, il était urgent de regarder la vérité en face. Cette vérité, Camus ne nous la fardait pas. Il avait trouvé, pour l'exprimer, des formules qui nous paraissaient définitives : « Aucune morale ni aucun effort ne sont *a priori* justifiables devant les sanglantes mathématiques qui ordonnent notre condition... A partir du moment où elle est reconnue, l'absurdité est une passion, la plus déchirante de toutes. » Mais aussi : « Il ne peut y avoir d'absurde hors d'un esprit humain » et : « L'absurde n'a de sens que dans la mesure où l'on n'y consent pas. »
Au plus noir de son nihilisme, Camus avait donc cherché des raisons de le dépasser. C'est au sein même de l'absurde qu'il nous proposait de chercher le bonheur comme « la plus grande des conquêtes ». Tout chez lui, décidément, était nôtre.

C amus, joué par Gérard Philipe... Ce fut le miracle de *Caligula*. Mais, au-delà du tyran pervers et mythomane auquel un adolescent de génie prêtait son physique de jeune premier, ses élans de chien fou et sa voix de basse profonde, il me semble que ce qu'il y eut de meilleur dans la France de la Libération se retrouvait dans ce jeune visage. Ce visage-là, nous pouvions nous y reconnaître, adolescents qui eûmes dix-huit ans l'été de la Libération, parce qu'il était vraiment le nôtre, à peine sublimé par la gloire. De notre temps, Camus avait assumé tous les risques, partagé tous les espoirs, récolté toutes les chances et l'on serait tenté de dire (mais cela n'est pas tout à fait vrai) connu toutes les conditions.

Gérard Philipe

Il n'a pas « appris la liberté dans Marx », mais « dans la misère ». Ce n'est pas une expérience abstraite qu'il a de la maladie. Il en est de même pour la Résistance : il n'attendit pas la Libération pour y prendre place. Quant à l'Algérie, elle embrasse le commencement et la fin de sa courte vie : il avait deviné son drame ; il l'a fait sien tout entier ; il n'en a pas vu la fin. Pour dire nos angoisses et notre espérance, il a trouvé des formules frappantes, dignes du Malraux des *Voix du silence* : « L'homme n'est pas entièrement coupable, il n'a pas commencé l'histoire ; ni tout à fait innocent, puisqu'il la continue. » « L'avenir est la seule transcendance des hommes sans Dieu. » « L'homme est la seule créature qui refuse d'être ce qu'elle est. » Et cette définition, aujourd'hui fameuse : « L'absurde, c'est le péché sans Dieu. »

Le style de Camus exigerait une longue étude.

Ce n'est pas, comme on le croit parfois, un style tout à fait naturel, celui d'une respiration, encore moins celui de la conversation, encore qu'il ait su recueillir des propos familiers, entendus à Bab-el-Oued. C'est un style appris, médité, souvent tendu, et c'est lorsqu'il paraît naturel (comme dans *l'Étranger*) qu'il recouvre un patient labeur, un opiniâtre effort d'écrivain. Grande leçon que celle-là, qui explique, pour une bonne part, le succès d'un narrateur à peu près totalement dépourvu d'ima-

gination. Réussite exemplaire lorsqu'on la compare à celle de
tant de littérateurs à la mode qui ont érigé l'absence de style,
le laisser dire et l'imitation servile du langage parlé — quand
ce n'est pas le délire érotique, onirique ou scatologique — en
principe littéraire !

Pour définir l'écriture de Camus, il faut remonter aux
influences. Élève assidu d'une khâgne d'Alger, formé à l'école
des maîtres d'autrefois par un Jean Grenier, passionné de
théâtre, Camus est d'abord un rhétoricien à l'ancienne mode,
comme on pouvait l'être encore dans les premières années du
siècle : *le Mythe de Sisyphe* et *l'Homme révolté* dénotent, sinon tout
à fait le latiniste classique, du moins le goût du balancement
rhétorique et des antithèses frappantes. Ajoutez une volonté
de faire œuvre d'art, avec la même tension lyrique qui fut celle
du jeune Suarès, du jeune Romain Rolland, du jeune Gide.
Dans la première vraie lettre que je reçus de lui, Camus regret-
tait de ne m'avoir pas assez dit « à quel point les problèmes
d'art lui paraissaient fondamentaux dans l'édification d'une
œuvre, même et surtout dans l'édification d'une œuvre contemporaine ». Lorsque je l'interrogeai sur ses maîtres, il mentionna
Gide et Malraux, ce qui ne me surprit pas, mais aussi Barrès et
Montherlant (celui de *Service inutile*). Noms auxquels j'ajouterais
volontiers le Pascal des *Pensées*, Vigny prosateur, Vauvenargues
et, bien entendu, Nietzsche, qui représentait pour lui non pas
un fabricant de systèmes, mais un poète.

« Rhétoricien », ce premier Camus — celui de *Noces* que l'on
retrouve aussi dans *l'Homme révolté* et, plus tard, dans *l'Été* —
l'est au sens achevé du terme, comme l'ont été Montherlant ou
le Saint-Exupéry de *Citadelle*. C'est lui qui chante, avec un
orgueil superbe, ces « noces » avec la terre que sa jeunesse
célébrait à Tipasa :

« Au printemps, Tipasa est habitée par les dieux et les dieux
parlent dans le soleil et l'odeur des absinthes, la mer cuirassée
d'argent, le ciel bleu écru, les ruines couvertes de fleurs et la
lumière à gros bouillons dans les amas de pierres... »

C'est en peintre, mais en peintre qui veut entrer dans les

secrets de la nature, épouser sa « joie panique » (comme dirait
le Giono de *Colline*), qu'il décrit ces paysages méditerranéens
dont la beauté l'a sauvé de l'absurde et de la misère. C'est en
rival d'un Monet qu'il peint cette mer dont il parle avec le même
amour que ces Grecs auxquels il doit tant.

Dix ans plus tard, devenu assez bon écrivain pour dédaigner
la « littérature », Camus saura évoquer ses baignades algéroises
avec moins d'opulence verbale sans doute, mais aussi plus de
force et de simplicité, quitte à faire ressortir sobrement le
thème sous-jacent à l'action :

« Rieux plongea... Froides d'abord, les eaux lui parurent tièdes
lorsqu'il remonta. Au bout de quelques brasses, il savait que la
mer, ce soir-là, était tiède, de la tiédeur des mers d'automne
qui reprennent à la terre la chaleur emmagasinée pendant de
longs mois... Pendant quelques minutes, ils avancèrent avec la
même vigueur, solitaires, loin du monde, libérés enfin de la ville
et de la peste... Ils avaient le même cœur et le souvenir de cette
nuit leur était doux. Quand ils aperçurent de loin la sentinelle
de la peste, Rieux savait que Tarrou se disait, comme lui, que la
maladie venait de les oublier et que cela était bien, et qu'il fallait
maintenant recommencer. » *(la Peste).*

Romantique, Camus l'est doublement. Par l'élan juvénile qui
l'entraîne vers le monde : il n'est pas une seule des nourritures
terrestres à laquelle il entende renoncer. Et par la révolte qui
exalte tout son être contre les injustices de notre condition.
Mais il refuse de se laisser enfermer par l'amertume : « J'ai eu
ma part d'expériences difficiles, dira-t-il à Gabriel d'Aubarède ;
cependant je n'ai pas commencé ma vie par le déchirement. De
même, je ne suis pas entré en littérature par l'imprécation ni
par le dénigrement comme beaucoup, mais par l'admiration. »
Ce romantisme devait être dompté. L'influence de Gide dut y
être pour quelque chose : « C'est à l'artiste surtout qu'allait
mon culte, au maître du classicisme moderne, disons au Gide
des *Prétextes.* Connaissant bien l'anarchie de ma nature, j'ai
besoin de me donner en art des barrières. Gide m'a appris
à le faire. Sa conception du classicisme considéré comme un

romantisme dompté est la mienne. Quand à son respect profond des choses de l'art, il a mon adhésion entière. Car je me fais de lui l'idée la plus élevée. Je le mets trop haut pour consentir à le soumettre à rien. » Et, de fait, s'il y a dans *Noces* une sorte d'ivresse gidienne qui rappelle celle des *Nourritures terrestres,* il y a aussi dans les derniers récits de Camus un art de la fugue, un usage de la litote qui font songer à *la Porte étroite.* Quel sera l'avenir de Camus ? Le verrons-nous traverser un purgatoire d'autant plus sévère que sa gloire fut plus rapide et plus éclatante ? Va-t-on, peu à peu, cesser de le lire ? Deviendra-t-il au contraire, et, cette fois, pour toujours, ce « classique » imprudemment

André Gide

consacré de son vivant même ? Si l'on s'en tenait au jugement de l'intelligentsia parisienne, la cause serait entendue. A droite, comme à gauche, l'admiration a cédé la place à l'agacement, puis à la condescendance, et bientôt l'ironie s'est faite sarcasme. L'été 1952, la fameuse querelle avec Sartre, dont Pierre-Henri Simon a parfaitement situé toute la portée, sépara Camus de son milieu naturel : la gauche intellectuelle. A partir de cette date, on a vu se multiplier les accusations contre l'auteur de *l'Homme révolté,* coupable de prendre, contre des hommes qui souffrent et qui luttent en commun, le parti de l'Éternel, « au nom d'une amère sagesse qui s'efforce de nier le temps ». Violemment attaqué par les communistes, rejeté par la vaste franc-maçonnerie progressiste, coupé du fameux « mouvement de l'Histoire », il a déjà rejoint, s'il faut en croire la rédaction des *Temps modernes,* la vieille cohorte des humanistes fatigués.

Par une surprenante et paradoxale conjonction, la «jeune droite» épouse ce point de vue. Elle aussi dessine, pour Camus, sans égard aucun pour sa personne, un avenir de retraité, ami des arts et des bêtes. Dès 1949, Roger Nimier n'avait-il pas écrit : « Nous ne ferons pas la guerre avec les poumons de M. Camus » ? M. Claude Mauriac, constatant que l'auteur de *la Peste* a fait de l'absurde le « poncif contemporain », résume ainsi *l'Homme révolté* : « Littérairement, une complaisance... Philosophiquement, un assez vain discours. Politiquement, une solution d'autant moins satisfaisante qu'elle suppose le problème résolu. » Bref, « une forme de mystification ».

Le prix Nobel, obtenu à un âge où la plupart commencent à se faire un nom, scandalisa la jeune critique. On la vit répéter que l'Académie suédoise couronnait «une œuvre terminée» (M. Jacques Laurent), un «conciliabule de produits congelés» (M. Kléber Haedens), fleurant «un je ne sais quoi de trompeur ou de faux, une nuance d'imposture» (M. Georges Ketman). Ce ton de persiflage ne devait pas désarmer. De M. Robert Kanters à M. Claude Roy, c'est à qui trouvera les plus fines reparties pour ridiculiser ce moraliste récupéré par la droite, «finalement plus proche de Louis-Philippe que de Saint-Just». Est-ce un hasard si, au même moment, le monde entier (et, singulièrement, l'élite du Tiers Monde) accueille Camus et lui fait fête ? On le traduit à Moscou et à Cuba. C'est que l'auteur de *la Peste* n'a pas craint de parler *pour tous les hommes*. Et s'il en impose même aux jeunes Soviétiques qui commencent à le découvrir, c'est pour avoir osé assigner à la révolution une limite morale : le respect de l'homme, de sa dignité, foulée aux pieds pas les nihilistes au pouvoir :

«Choisir l'histoire, et elle seule, c'est choisir le nihilisme contre les enseignements de la révolte elle-même...»

«Si l'homme veut se faire Dieu, il s'arroge le droit de vie et de mort sur les autres. Fabricant de cadavres et de sous-hommes, il est sous-homme lui-même et non pas Dieu, mais serviteur ignoble de la mort... La révolution, pour être créatrice, ne peut se passer d'une règle, morale ou métaphysique, qui équilibre

le délire historique. Elle n'a sans doute qu'un mépris justifié pour la morale formelle et mystificatrice qu'elle trouve dans la société bourgeoise. Mais sa folie a été d'étendre ce mépris à toute revendication morale. A ses origines mêmes, et dans ses élans les plus profonds, se trouve une règle qui n'est pas formelle et qui, pourtant, peut lui servir de guide. » [1] Cette règle, Camus la formule ainsi : « Au lieu de tuer et de mourir pour produire l'être que nous ne sommes pas, nous avons à vivre et faire vivre pour créer ce que nous sommes. » [2]
Avant d'imposer à nos semblables un Bien fabriqué, commençons donc par essayer de « réparer dans la création tout ce qui peut l'être » et par « maîtriser en nous tout ce qui doit l'être ». « Après quoi, les enfants mourront toujours injustement même dans une société parfaite. Dans son plus grand effort, l'homme ne peut que se proposer de diminuer arithmétiquement la douleur du monde... Mais le « pourquoi » de Dimitri Karamazov continuera de retentir ; l'art et la révolte ne mourront qu'avec le dernier homme. » [3]

E n la personne d'Albert Camus comme dans son œuvre, il y eut et il y aura toujours deux parts : celle du *témoin* et celle de *l'artiste*.
Vingt ans ont passé depuis la Libération et le flux de l'Histoire, moins prévisible qu'on ne nous l'affirmait alors, n'a pas fini de faire et de défaire les réputations. De la constellation des grands témoins de l'époque, du célèbre trio Sartre-Beauvoir-Camus, il se pourrait bien que le dernier — qui d'abord parut frayer sa voie dans le sillage du puissant vaisseau sartrien — soit le mieux placé pour durer. En 1950, je saluais autour de son œuvre la plus bouleversante des fraternités, celle de la chair souffrante d'une humanité humiliée : « la communion des âmes libres » [4]. Peut-être hésiterais-je aujourd'hui à réécrire cette prosopopée

1 - 2 - 3. *L'Homme révolté.*
4. *Métamorphose de la littérature*, II (Alsatia, nouvelle édition, 1963).

lyrique. Mais somme toute, l'auteur de *l'Homme révolté,* de *la Chute* et des sobres *Carnets* posthumes n'a pas menti à l'œuvre de ce Camus de 1950.

Il arrive que des révoltés juvéniles fassent, l'âge venu, de féroces chiens de garde. Tel n'a pas été le cas de Camus. Il est resté fidèle aux promesses de sa vingtième année. Il n'a pas cru non plus — et cela aussi devait jouer un rôle dans sa querelle avec Sartre — qu'une belle démagogie verbale suffit à assurer la bonne conscience d'un écrivain, et que l'engagement consistât seulement à «mettre son fauteuil dans le sens de l'histoire». Ni que, pour s'opposer aux systèmes qui écrasent l'homme, il fallût condamner les hommes, au même titre que les systèmes. Il n'a pas fait la guerre aux Allemands, mais à Hitler; il n'a pas dénoncé les crimes russes, mais ceux du stalinisme.

L'affaire algérienne, que Jules Roy évoque par ailleurs, nous offre une illustration méritoire de cette mesure, dont ses ennemis de gauche ont fait un crime — ce crime de modérantisme au nom duquel la Terreur fit tomber plus d'une tête. Journaliste, Camus n'avait pas attendu Mme de Beauvoir pour dénoncer, *quand cela coûtait quelque chose* (le droit d'écrire, la liberté), les exactions du colonialisme. Mais il n'a jamais oublié le petit peuple d'Algérie au sein duquel il était né, et qu'il était trop facile de sacrifier en holocauste au nationalisme arabe. Le pharisaïsme de ceux qui, de Paris, le sommaient de choisir «entre la justice et sa mère» lui soulevait le cœur.

Il n'a pas trouvé la culture dans son berceau, il l'a voulue et méritée. C'est peut-être la raison pour laquelle écrire est toujours resté pour lui «un honneur» auquel il n'a pas voulu faillir. Depuis ses premiers articles, pathétiques et touchants, jusqu'à cette allocution prononcée à la remise du prix Nobel qui ressemble à s'y méprendre à un discours de distribution des prix, Camus est resté cet enfant méritant pour qui l'œuvre à faire n'était pas seulement une tâche ou un plaisir mais une mission. Le témoin a nourri l'artiste. Ce dernier était-il à la hauteur du témoin ? En décider, c'est parier sur l'œuvre et son avenir. La réponse n'est pas simple, parce qu'il existe, répandu sur tout l'œuvre, un vernis rhétorique, qui a ses beautés, nous l'avons dit plus haut, mais aussi ses périls, lorsqu'il dissimule ce que l'expérience peut avoir d'abstrait, voire la pensée de creux. Cet enduit, qui donne le change, rend presque insupportable la lecture des dernières pages de *l'Homme révolté*, au point de les faire ressembler à un pastiche de Camus par lui-même.

Au contraire, lorsqu'il s'accorde naturellement à son expérience d'homme, le lyrisme de Camus, loin d'apparaître comme un revêtement décoratif extérieur à l'action, s'y incorpore et tend la trame du récit. On le constate dans *l'Étranger*, en prise directe sur l'expérience algérienne de Camus, dans les meilleures scènes de *la Peste*, dans deux ou trois des nouvelles qui composent *l'Exil et le royaume*. Le début et la fin du *Mythe de Sisyphe*, les dernières lignes, admirables dans leur brièveté, de *l'Étranger*, le réquisitoire, d'une ironie brûlante, à la fois métaphysique et politique, que dresse *l'Homme révolté* contre la duperie des révolutions absolues, les pages de gratitude que le retour à Tipasa lui inspire dans *l'Été* appartiennent à cette veine, poétique et ardente.

S' il faut, d'un point de vue purement littéraire, dresser la liste des œuvres les plus durables de Camus, mon choix est fait, sans grande hésitation. J'aurais tendance à jeter par dessus bord à peu près tout le théâtre, en commençant par *le Malentendu* — simple syllogisme de l'absurde, géométrie si pure et si sèche que l'élément humain, réduit à un conflit abstrait, y perd toute vraisemblance — et en continuant par *l'État de siège*, indigne et prétentieux travestissement des grands thèmes de *la Peste*. Je crains que la présence de Gérard Philipe n'ait été pour beaucoup dans le succès de *Caligula* — pièce limite, développant jusqu'à l'absurde, c'est le cas de le dire, une situation limite — comme quatre ans plus tard, en décembre 1949, celle de Maria Casarès a facilité le succès des *Justes*, tragédie janséniste, aux oppositions tranchées, dont la noblesse et la conviction ne suf-

fisent pas toujours à étayer une action restée trop idéologique.
Il y a quelque chose de paradoxal et de consternant dans le
spectacle d'un Camus, poussé dès l'adolescence par le goût le
plus vif et le plus exigeant du théâtre — qu'il a pratiqué toute
sa vie, comme acteur, comme metteur en scène et comme auteur
— sans parvenir à forger un instrument digne de sa pensée.
Finalement, c'est dans ses adaptations, surtout dans *les Possédés*
et le beau *Requiem pour une nonne,* qu'il s'est trouvé le plus près
de ce que lui-même avait rêvé de faire : deux pièces « chrétiennes ». Peut-être ne s'agit-il pas là d'un hasard ?[5]

O n hésite à juger le romancier. Lui-même avait découragé
l'objection en baptisant « chroniques » ou « récits » ces
textes où la présence charnelle des êtres a moins d'importance
que les valeurs qu'ils portent en eux. Comme je lui reprochais
d'avoir fait des personnages de *la Peste* des « fantômes sans visage », Camus me répondit avec vivacité : « La princesse de Clèves
a-t-elle un visage ? Antigone ? Phèdre ?... On imagine voir les visages à partir du XIXe siècle, on les voit en réalité de façons si
diverses que tout illustrateur est voué à décevoir le lecteur. La
décadence commence avec l'expression psychologique. Le vrai
critérium est ailleurs : ces personnages s'oublient-ils ? Mais ce
serait à développer. » Ce point de vue (qui est aussi, je crois, celui
de Malraux) mériterait une discussion approfondie, qui n'a
pas sa place ici. Il a donné naissance à un chef-d'œuvre, *l'Étranger,* et à une œuvre de première grandeur, *la Peste,* ainsi qu'à
deux ou trois récits énigmatiques et poignants (dans *l'Exil et le
Royaume*). J'aime moins *la Chute,* réquisitoire ambigu, où des
thèmes chrétiens laïcisés — la souffrance, la faute et le remords
— dégorgent plus de fiel que de vraie pitié.
Quant aux essais, ils suffiraient à placer Camus au premier

---

5. *Camus et le christianisme.* Un long développement serait ici nécessaire pour mettre en
lumière les malentendus successifs qui l'ont séparé des chrétiens. Cf. *Métamorphose de
la littérature.*

rang. *L'Homme révolté,* si insuffisant dans sa partie constructive, constitue un réquisitoire auquel on n'a pas encore répondu. Et comment, sans injustice, dédaigner les textes *d'Actuelles,* où le journalisme s'élève, comme chez Mauriac mais par d'autres moyens, au niveau de la plus noble littérature ? Comment ne pas dédier à la réconciliation franco-allemande *les Lettres à un ami allemand,* pourtant écrites au plus fort d'un combat inégal ? «Le plus grand écrivain français vivant, je crois bien, avec Malraux», m'écriais-je en 1950. Un critique devrait se méfier de ces sortes de palmarès. Et pourtant, il est vrai que, d'une assez basse époque, Camus le Juste reste le plus noble témoin. Si on l'a vu dédaigner l'Histoire et ses jugements préfabriqués, il ne s'est jamais détourné des hommes. Ce n'est pas assez, me dit-on, pour faire une œuvre, et qu'elle dure. L'œuvre est là, pourtant, qui vaut bien celle des scribes et des accroupis qui encombrent notre littérature. *Solitaire, solidaire :* ces deux mots le faisaient rêver. Non, son art n'a pas été cette « réjouissance solitaire » qui, pour tant d'hommes de lettres, même les plus grands, tient lieu de tout, de bonheur et de salut. Je revois ce rectangle de verdure au milieu du cimetière de Lourmarin, protégé par quatre cyprès; le moindre souffle apporte le parfum d'un buisson de romarin; au

Francine et Albert Camus

loin, le mur du château découpe sur la montagne rongée de garrigue une silhouette d'un autre temps.

On chercherait en vain une croix, une stèle, ou même une tombe : il n'y a ici que des myosotis, des soucis, autour d'un peu de terre fraîche et, sur un bandeau de pierre qui déjà s'effrite,

le seul nom d'Albert Camus suivi de ces deux dates : 1913-1960.
Dans vingt ans, l'herbe épaisse de l'oubli aura-t-elle recouvert
ce nom comme elle en a enseveli tant d'autres ? Je me refuse
à le croire, en ce jour de printemps où s'éveille cette « vie à
goût de pierre chaude, pleine des soupirs de la mer et des cigales
qui commencent à chanter ». « Mer, campagne, silence, parfums
de cette terre », Camus possède maintenant cette vérité « qui
est celle du soleil et sera aussi celle de ma mort ».

P. B.

Récits, pièces et essais

RÉCITS

L'ÉTRANGER (1942)

Meursault, employé de bureau à Alger, assiste sans une larme à l'enterrement de sa mère, morte à l'asile où il l'avait placée. Le lendemain, après une baignade dans le port et une séance de cinéma, il devient l'amant de Marie, jeune fille qu'il a connue naguère. Son voisin de palier, Raymond, un souteneur, l'invite à venir, avec Marie, passer le dimanche suivant dans le cabanon d'un ami près d'Alger. Là ils retrouvent deux Arabes qui poursuivent Raymond pour venger une femme. Rixe sur la plage ; Raymond, blessé, confie son revolver à Meursault. Un peu plus tard, le hasard remet Meursault en présence des Arabes et, sans raison ou peut-être « à cause du soleil », il tire quatre fois sur l'un des hommes. Au procès, l'apparente indifférence avec laquelle il a accueilli la mort de sa mère devient, aux yeux de la Justice, le signe évident de sa monstrueuse nature de criminel.

Condamné à mort, il refuse le secours de la religion, préférant assumer jusqu'au bout l'absurdité du monde.

LA PESTE (1947)

Dans Oran, qu'une épidémie de peste isole du monde, les hommes de bonne volonté essaient d'organiser la lutte contre le fléau : l'intègre docteur Rieux, pour qui « l'essentiel est de bien faire son métier » et qui n'a jamais pu se résigner à l'impuissance de la médecine devant la mort ; Tarrou qui, devant l'horreur de la condamnation à mort, a « décidé de refuser tout ce qui, de près ou de loin, pour de bonnes ou de mauvaises raisons, fait mourir ou justifie qu'on fasse mourir » ; Rambert, jeune journaliste de passage à Oran, qui ne songe qu'à quitter la ville pour retrouver la femme qu'il aime et finira par rester le jour où il aura compris qu' « il peut y avoir de la honte à être heureux tout seul ». Devant tous les pharisiens qui essaient, pour le conjurer, de nier l'existence même du fléau, ces hommes vont mener la lutte contre l'épidémie, la souffrance, l'agonie, la mort et l'absurdité du monde où Dieu se tait. Grâce à leur courage lucide, à la force de leur révolte contre le Mal, la peste sera vaincue. Mais pour tous ceux qui ont vécu cette horrible tragédie, le bonheur confiant ne signifie plus rien, l'état d'alerte sera permanent, car le jour pourrait revenir où « la peste réveillerait ses rats et les enverrait mourir dans une ville heureuse ».

LA CHUTE (1956)

Dans un bouge d'Amsterdam, un homme vient chaque soir livrer à des interlocuteurs de hasard une étrange confession. Lui, cet exilé douteux, ce conseiller de souteneurs et de prostituées, il a été jadis à Paris un brillant avocat, défenseur des nobles causes, aimé et respecté de tous. Il a suffi d'un rire mystérieux entendu un soir sur le pont des Arts pour que soudain lui soit révélée l'imposture de sa vie. La bonté et le sens de la justice qu'il offrait en spectacle à lui-même et aux autres masquaient d'inavouables démissions : n'a-t-il pas, un

jour, par indifférence et par lâcheté, laissé une jeune femme se
noyer ? Dès lors que la prise de conscience est faite, Clamence
voudrait crier sa culpabilité à la face du monde entier. Mais il
découvre qu' «il ne suffit pas de s'accuser pour s'innocenter».
L'implacable réquisitoire contre lui-même que ce juge-pénitent
prononce devant les buveurs solitaires du bouge d'Amsterdam
tend à chacun un miroir où se reconnaître. Car tous les hommes
sont coupables, sans recours, sans espoir.

L'EXIL ET LE ROYAUME (1957). Recueil de six nouvelles :
La Femme adultère. L'épouse insatisfaite d'un commis voyageur
algérois découvre un soir, d'une terrasse qui domine le désert,
la déchirante beauté du monde et s'y livre tout entière.
Le Renégat. Un missionnaire catholique, prisonnier d'une tribu
du désert, abandonne de plein gré la religion du dieu d'amour
pour servir une idole de cruauté.
Les Muets. Une équipe d'ouvriers mal payés par leur patron
décide de protester par le silence. Mais la fillette du patron a
une attaque qui risque d'être mortelle et le noble silence des
travailleurs devient alors cruel et inhumain.
L'Hôte. Daru, instituteur français d'un petit village algérien,
est chargé de conduire un Arabe inculpé de meurtre jusqu'à la
ville. En chemin, il décide de laisser son «hôte» choisir entre la
prison ou la fuite. L'Arabe choisit la prison. Ses frères croiront
qu'il a été livré à la police et Daru découvre alors sa solitude
«dans ce vaste pays qu'il avait tant aimé».
Jonas ou l'artiste au travail. Le succès couronne un peintre de
talent. Dès lors, les visites constantes, les déjeuners mondains,
les entretiens avec ses nouveaux disciples, les appels télépho-
niques, la vie familiale le conduisent à la stérilité. Pour échapper
à cet enfer, il se construit une soupente au-dessus du couloir et
s'y réfugie. Mais après une nuit de labeur, il a seulement écrit
sur sa toile blanche un mot « dont on ne savait s'il fallait y lire
Solitaire ou Solidaire ».
La pierre qui pousse. Au Brésil, un ingénieur français assiste à une
cérémonie au cours de laquelle un indigène de ses amis, pour

accomplir un vœu, doit porter jusqu'à l'église une énorme pierre. L'indigène s'écroule bientôt et l'ingénieur se charge de la pierre mais, au lieu d'en faire hommage à l'église, il la déposera devant la case de son ami.

PIÈCES

LE MALENTENDU, pièce en trois actes (1944)
Après une absence de vingt ans, Jan revient en Bohême dans l'auberge tenue par sa mère et par Martha, sa sœur, qui ne le reconnaissent pas. Par jeu et par curiosité, il décide de cacher jusqu'au lendemain son identité. Dans la nuit, les deux femmes l'endorment et, après l'avoir dépouillé, le jettent dans la rivière comme elles avaient coutume de le faire avec tous les riches voyageurs de passage. Apprenant au matin, de la bouche même de la femme de Jan, l'identité de leur victime, la mère se noie et Martha se pend.

CALIGULA, pièce en quatre actes (1945)
Devant le cadavre de Drusilla, sa sœur et en même temps sa maîtresse, le jeune empereur Caligula a découvert cette foudroyante vérité : « les hommes meurent et ne sont pas heureux ». Le mensonge règne ici-bas mais, puisqu'il détient le pouvoir, il a décidé de faire vivre les hommes dans la vérité, c'est-à-dire dans l'absurde. Quand le dispositif de cette logique implacable fait place à la pure démence, quand Caligula, assoiffé d'impossible, se couvre de crimes, les patriciens, ses victimes, ourdissent un complot que l'empereur informé ne déjouera pas. Cette mort, il le sait, consacre sa défaite.

L'ÉTAT DE SIÈGE, spectacle en trois parties (1948)
L'épidémie s'abat sur Cadix sous les traits d'un gros homme, Peste, accompagné de sa secrétaire, Mort. Par un accord mutuel et *librement* conclu, le gouverneur de la ville cède la place à Peste, qui ferme les portes de Cadix et y instaure un régime d'arbitraire et de terreur. La panique s'empare des

habitants. Mais le jeune étudiant Diego, surmontant sa peur, lance un défi au tyran. Les stigmates de la peste s'effacent alors sur lui. Il organise la résistance et, déjà, le fléau perd de son pouvoir quand on apporte sur une civière Victoria, la fiancée de Diego. Peste propose au jeune homme de la sauver : ils pourront fuir tous deux à condition qu'ils le laissent régner sur la ville. Contre le bonheur individuel, Diego choisit la solidarité. Sa mort ressuscitera Victoria et délivrera Cadix.

LES JUSTES (1949), pièce en cinq actes
En Russie, Kaliayev, un des terroristes du Parti socialiste révolutionnaire, est chargé de lancer une bombe sur la calèche du grand-duc Serge. Au moment d'accomplir sa mission, il aperçoit dans la calèche deux enfants et ne peut se résoudre à les sacrifier. Devant ses amis réunis il doit justifier son refus : Dora, la femme qu'il aime et Annenkov l'approuvent, mais Stepan, à qui le bagne a enseigné la haine, l'accable de son mépris. L'attentat est remis et cette fois Kaliayev le mène à bien. Condamné à mort, il reçoit la visite de la grande-duchesse qui promet de demander sa grâce. Mais Kaliayev refuse. Ni le chantage du chef de la police, qui menace de l'accuser publiquement de trahison, ni son amour de la vie ne feront reculer ce juste devant son destin, car celui qui accepte de tuer pour une cause doit aussi accepter de mourir à son tour.

ESSAIS PHILOSOPHIQUES

LE MYTHE DE SISYPHE (1943).
L'absurdité du monde justifie-t-elle le suicide ? A cette question, qui forme le sujet de cet essai, Camus répond négativement : « Il s'agit de mourir irréconcilié et non de plein gré. Le suicide est une méconnaissance. » C'est par un effort solitaire et quotidien que l'homme témoigne de sa vérité qui est le défi : « J'exalte ma lucidité au milieu de ce qui la nie. J'exalte l'homme devant ce qui l'écrase et ma liberté, ma révolte et ma passion se rejoignent alors dans cette tension, cette clairvoyance et cette

répétition démesurée.» Trois exemples illustrent la liberté et la lucidité de l'homme : Don Juan, l'acteur, le conquérant. Mais plus encore celui du créateur qui sait que sa création peut ne pas être et la poursuit obstinément. Symbole de la condition humaine, Sisyphe, condamné à rouler sans fin un rocher au sommet d'une colline, affirme dans l'absurdité même de sa tâche sa grandeur et son bonheur.

L'HOMME RÉVOLTÉ (1951).

« Qu'est-ce que l'homme révolté? Un homme qui dit non.» Mais la révolte la plus négative contient un élément positif qui est l'aspiration à un ordre différent de celui que le révolté subit. La révolte ne naît pas exclusivement d'une oppression personnellement subie, mais aussi du spectacle de l'oppression des autres. «Dans l'expérience absurde, la souffrance est individuelle. A partir du mouvement de révolte, elle a conscience d'être collective, elle est l'aventure de tous.»

« La révolte métaphysique est le mouvement par lequel un homme se dresse contre sa condition et la création tout entière. Partant de l'analyse de trois exemples : Sade (la négation absolue), Ivan Karamazov (le refus du salut), Nietzsche (l'affirmation absolue), Camus étudie les rapports entre la révolte et la révolution et démontre, à travers le régicide de 1793, le terrorisme individuel et le terrorisme d'État, que la révolution s'est retournée contre le révolté et celui-ci contre la révolution. L'art est également une manifestation de la révolte, et c'est finalement par lui que les hommes atteindront au bonheur : «En art, la Révolte s'achève et se perpétue dans la vraie création, non dans la critique ou le commentaire. La Révolution, de son côté, ne peut s'affirmer que dans une civilisation, non dans la terreur ou la tyrannie. Les deux questions que pose désormais notre temps à une société dans l'impasse : la création est-elle possible, la révolution est-elle possible, n'en font qu'une, qui concerne la renaissance d'une civilisation.» Une civilisation de la mesure, «à l'échelle des grandeurs moyennes qui sont les nôtres».

ESSAIS LYRIQUES

L'ENVERS ET L'ENDROIT (1937), recueil de cinq nouvelles:
L'Ironie. Trois vieillards : « Trois destins semblables et pourtant différents. La mort pour tous, mais à chacun sa mort. Après tout, le soleil nous chauffe quand même les os. »
Entre oui et non. Un jeune homme évoque avec pudeur son enfance, l'émouvante indifférence de sa mère et les liens que le silence tissait entre eux, dans un monde de pauvreté.
La Mort dans l'âme. La découverte, au cours d'un voyage à Prague, de la solitude, du tête-à-tête angoissant avec soi-même que le dépaysement ménage, de l'évidence brutale de la Mort. Et puis c'est l'Italie, où le narrateur retrouve « la force d'être courageux et conscient à la fois ».
Amour de vivre. Un séjour aux îles Baléares entraîne une nouvelle réflexion : « Il n'y a pas d'amour de vivre sans désespoir de vivre. »
L'Envers et l'Endroit. Une vieille femme devant la mort. Un jeune homme devant la vie.

NOCES (1938), recueil de quatre essais:
Noces à Tipasa. Devant les ruines de la cité romaine, face à l'éclatante splendeur de la nature algérienne, un jeune homme chante son ivresse de vivre.
Le Vent à Djemila. Le silence d'une ville morte, la solitude du monde et, pour un homme, «la certitude consciente d'une mort sans espoir». Mais aussi le courage d'en affronter l'horreur. «Je veux porter ma lucidité jusqu'au bout... »
L'Été a Alger. L'auteur décrit l'atmosphère de cette ville sans passé, les liens qui l'unissent à elle et à son peuple.
Le Désert. Méditant l'enseignement des maîtres toscans, l'auteur parvient à cette « double vérité du corps et de l'instant... ». Ce qui unit un être à la vie, c'est « la double conscience de son désir de durée et son destin de mort ». Et au cœur même de sa révolte, il apprend à « consentir à la terre et à brûler dans la flamme sombre de ses fêtes ».

L'ÉTÉ (1954), recueil de huit nouvelles:

Le Minotaure ou la halte d'Oran. Description sur le mode ironique d'une ville « sans âme et sans recours ».

Les Amandiers. Victoire du printemps sur l'hiver, de l'esprit sur la force.

Prométhée aux Enfers. La signification du mythe dans le monde d'aujourd'hui.

Guide pour des villes sans passé : celles d'Algérie, décrites avec amour par un de leurs fils.

L'Exil d'Hélène. La dissipation de l'héritage grec par une civilisation qui a placé «l'histoire sur le trône de Dieu».

L'Énigme. Réponse de Camus à tous ceux qui veulent l'emprisonner dans le rôle d'écrivain désespéré, de prophète de l'absurde.

Retour à Tipasa. Quinze ans après l'exaltation de *Noces,* le retour à la «source de joie».

La mer au plus près. Un voyage en bateau vers l'Amérique du Sud, mais surtout un hymne à la mer, sa patrie.

Table des illustrations

Une rue de Belcourt. Photo « Réalités » (L. Ionesco).
Terrasse de café à Belcourt. Photo « Réalités ». (E. Boubat).
La partie de pétanque dans les faubourgs. Photo « Réalités ». (L. Ionesco).
Albert Camus enfant dans l'atelier de son oncle. Photo communiquée par Mme A. Camus.
Albert Camus au lycée Bugeaud à Alger. Photo communiquée par Mme A. Camus.
Jean Grenier. Photo communiquée par Mme A. Camus.
Mouloud Feraoum et Albert Camus. Photo communiquée par Emmanuel Roblès.
Gabriel Audisio. Photo René Saint-Paul.
Albert Camus, Mohamed Dib et Emmanuel Roblès. Photo communiquée par E. Roblès.
Baigneuse. Photo Lucien Clergue.
La plage d'El-Alia. Photo Jean Fage.
Tipasa. Photo Henriette Grindat.
Maria Casarès et Marcel Herrand dans « le Malentendu ». Photo Roger Carel.
Plage d'Algérie. Photo Henriette Grindat.
La guerre d'Espagne. Photo Ancinex.
Dessins pour les costumes de « Caligula », par Marie Viton. Photo communiquée par Mme A. Camus.
Albert Camus observant Gérard Philipe dans le rôle de « Caligula ». Photo B. Rouget. Rapho.
« Alger Républicain » (8 juin 1939). Photo « Réalités ».
Douar en Kabylie. Photo Aguir.
Femme et enfant kabyles. Photo Marc Flament.
« Alger Républicain » (25 juin 1939). Photo « Réalités ».
Pascal Pia et Albert Camus. Photo communiquée par Mme A. Camus.

SÉQUENCE II   95

Albert Camus à Bougival (hiver 1945-1946). Photo Bernard Rouget. Rapho.
Entrevue de Montoire entre le maréchal Pétain et Hitler. Photo Keystone.
L'appel du général de Gaulle. Photo Jean-Gabriel Séruzier.
« Combat » N° 1. Photo « Réalités ».
Albert Camus à la terrasse du Flore (1947).
Exécution de résistants. Photo S.C.A.
Liste d'otages fusillés (16 septembre 1941).
Le ravitaillement des maquisards par les paysans. Photo Keystone.
L'organisation des maquis. Photo S.C.A.
Sabotage d'une voie ferrée. Photo S.C.A.
Scène de « l'Etat de siège ». Mise en scène de J-L. Barrault (1948). Photo Lipnitzki.

SÉQUENCE III   129

Albert Camus en 1950. Photo H. Cartier-Bresson. Magnum.
Le général de Gaulle descendant les Champs-Elysées. Photo Associated Press.
« Combat » du 25 août 1944. Fac-similé.
Les journalistes au marbre. Photo « Réalités » (M. Desjardins).
Albert Camus, Jacques Baumel et André Malraux. Photo René Saint-Paul.
Raymond Aron. Photo « Réalités ».
Alexandre Astruc, Jean Bloch-Michel, Jacques-Laurent Bost, Jacques Lemarchand, Maurice Nadeau, Georges Altschuler, Jacqueline Bernard, Claude Bourdet, Roger Grenier, Albert Ollivier. Photos René Saint-Paul.
Jean Texier. Photo Verneyras.
Albert Camus au procès du maréchal Pétain. Photo communiquée par Mme A. Camus.
Meeting en faveur des républicains espagnols. Photo communiquée par Mme A. Camus.
Entrevue Hitler-Franco à Hendaye, 1940. Photo communiquée par Louis Lecoin.
« La Dépêche de Constantine » du 16 mai 1945. Photo « Réalités ».
« Combat » du 13 mai 1945. Photo « Réalités ».
Albert Camus.

Albert Camus dans son bureau de « *Combat* ». Photo René Saint-Paul.
La bombe atomique. Photo U.S.I.S.
Représentation des « *Justes* », avec Maria Casarès et Serge Reggiani. Photo Lipnitzki.
« *Le Figaro littéraire* » du 12 novembre 1949. Fac-similé.
David Rousset. Photo Keystone.
Laszlo Rajk. Photo Keystone.
Procès de Laszlo Rajk. Photo U.S.I.S.
Le général Mac Arthur sur le front de Corée. Photo Keystone.
La guerre de Corée. Photo Centre culturel américain.
Jean-Paul Sartre. Photo Rapho.
Simone de Beauvoir. Photo H.Cartier-Bresson. Magnum.
« *Le Monde* » du 13 septembre 1952. Photo U.S.I.S.
La révolte de Berlin-Est, juin 1953. Photo U.S.I.S.
Le soulèvement de Budapest (1956). Photo Magnum.
Maurice Merleau-Ponty. Photo « Réalités ».
Albert Camus à « *l'Express* ». Agence Télé-Photo.

Albert Camus. Photo communiquée par Mme A. Camus.
Arrestation de deux suspects. Photo « Réalités » (M. Desjardins).
Regroupement de population. Photo « Réalités » (M. Desjardins).
Un soldat de l'A.L.N. en embuscade. Photo Europress.
Opération de contrôle dans une mechta. Photo Marc Flament.
Manifestation F.L.N. Photo Nicolas Tikhomiroff, Magnum.
Manifestation d'Européens. Photo Herschtritt.
Attentat F.L.N. à la bombe au ravin de la Femme Sauvage, à Alger. Photo Palmer.
Une victime des « ultras ». Photo Europress.
La morgue d'Alger.
Enterrement d'Européen à Oran. Photo Europress.
La trêve du sang. Photo S.C.A.
Un fermier européen au travail. Photo « Réalités ».
Le monument aux morts de Boufarik. Photo Charliat.
La maison du colon de Mascara. Photo Charliat.
L'église d'un village oranais. Photo Charliat.
Un appartement mitraillé. Photo Europress.
La mère d'Albert Camus. Photo « Paris-Match ».

Albert Camus chez Gallimard en 1959. Photo H. Cartier-Bresson. Magnum.
Amsterdam. Kovesdi. Photo Eli van Zachten.
Albert Camus au Pré Catelan. Photo communiquée par Mme A. Camus.
Le château d'Angers. Photo Roland Bonnefoy.
Représentation de « *la Dévotion à la Croix* » au festival d'Angers, juin 1957. Photo du « *Courrier d'Angers* ».
« *Les Esprits* ». Photo Lipnitzki.
« *Les Possédés* ». Photo Lipnitzki.
« *Un cas intéressant* ». Photo Lipnitzki.
« *Le chevalier d'Olmedo* ». Photo Lipnitzki.
Albert Camus et Catherine Sellers, une interprète du « *Requiem pour une nonne* ». Photo communiquée par Mme A. Camus.
La rue Albert-Camus, à Lourmarin.
Albert Camus et ses enfants. Photo « Life Magazine ».
La remise du prix Nobel. Photo « Life ».
« *Le Monde* » du 19 octobre 1957. Photo « Réalités ».

Villeblevin, 4 janvier 1960. Photo Dalmas.
« *Combat* » du 5 janvier 1960. Photo « Réalités ».
Le fourgon mortuaire. Photo Dalmas.
Stèle de Louis Benisti pour Albert Camus à Tipasa. Photo Miquel.

Pages de garde : Extrait du manuscrit de « *l'Été* ».
　　　　　　　　Extrait du manuscrit de « *l'Homme révolté* ».

Nous tenons à exprimer nos remerciements à la Bibliothèque Municipale de Sarcelles et
à M. Charlot qui nous ont aimablement communiqué les documents en leur possession
nécessaires à l'illustration de cet ouvrage.

Table des matières

CET OUVRAGE
LE VINGT ET UNIÈME DE LA COLLECTION
GÉNIES ET RÉALITÉS
A ÉTÉ ÉLABORÉ
PAR L'ÉQUIPE DE RÉALITÉS
ANIMÉE PAR GASTON D'ANGÉLIS

ACHEVÉ D'IMPRIMER
LE 20 MAI 1969
SUR LES PRESSES DES IMPRIMERIES
A. HUMBLOT & Cie ET TOURNON & Cie
SUR PAPIER VERGÉ ÉDITION
DES PAPETERIES ARJOMARI-PRIOUX
ET PAPIER COUCHÉ DES PAPETERIES DE GUYENNE
COMPOSITION LINOFILM RÉALITÉS
PRACHE, DE FRANCLIEU RELIEURS

Imprimé en France
Dépôt légal n° 807 — 2e trimestre 1969
Éditeur n° 26.81.6019.05
Imprimeur n° 826